Andrea Portes

ANATOMIE d'une FILLE à l'OUEST

Andrea Portes

ANATOMIE d'une FILLE à l'OUEST

Traduit de l'anglais (États-Unis)
par Jean-Noël Chatain

Titre original
Anatomy of a misfit

Première publication en langue anglaise
par Harper Teen, une filiale de Harper Collins.

© Éditions Michel Lafon, 2015, pour la traduction française
118, avenue Achille-Peretti – CS 70024
92521 Neuilly-sur-Seine Cedex

www.lire-en-serie.com

Ce roman s'inspire de mon année de troisième. J'ai écrit cette histoire parce que j'aimerais pouvoir remonter le temps et transmettre ce message à la fille que j'étais.

1

Je pédale vite, vite, vite, c'est maintenant. Une de ces scènes de film qu'on ne penserait jamais vivre, et pourtant on la vit, et c'est maintenant.

Je pédale vite, vite, vite, c'est ma seule chance d'arrêter ça. C'est le moment où on a l'impression que tout va horriblement de travers et qu'il n'y a plus d'espoir, mais comme c'est un film il y a quand même de l'espoir et une surprise qui change tout, et tout le monde pousse un soupir de soulagement, et tout le monde rentre chez soi et se sent bien et s'endort même peut-être dans la voiture.

Je pédale vite, vite, vite, c'est maintenant, c'est le moment dont je vais me souvenir pour le restant de mes nuits et de mes jours, en regardant le plafond. Je gravis cette colline et je descends la suivante, traverse ces arbres et passe devant l'école.

Je pédale vite, vite, vite, c'est maintenant, et quand j'arrive là-bas on peut voir les lumières passer du bleu au rouge puis au blanc, bleu, rouge, blanc, bleu, rouge, blanc, des petits cercles dans des cubes de sirènes, et on pense qu'on peut arrêter tout ça, mais bien sûr on ne peut pas, comment on a même pu penser qu'on le pourrait un jour ?

Je pédale vite, vite, vite, c'est maintenant.

C'est maintenant et c'est trop tard.

2

Vous n'allez jamais croire ce qui s'est passé. OK. Je ferais mieux de commencer par le début.

Logan McDonough s'est fait offrir un scooter par son père. Premier truc.

Disons que si Logan s'était pointé comme ça dès le jour de la rentrée, en seconde, à Pound High School, Lincoln, Nebraska, sans y avoir jamais mis les pieds, sur son scoot noir, dans sa tenue noire branchée, avec ses cheveux noirs trop cool, il aurait fait un carton. Même Becky Vilhauer, alias la fille la plus populaire de l'école, alias Dark Vador, serait restée scotchée.

Sauf qu'il était déjà là l'an dernier, en troisième. Quand c'était un naze – un intello, quoi.

Alors vous voyez bien qu'il avait commis un acte totalement interdit.

On ne peut pas décider entre mai et août, disons, qu'on va changer d'identité, passer de mec naze à mec cool, qu'on va se faire des cheveux noir corbeau, retrousser son jean noir corbeau, perdre dix kilos et rouler en Vespa. Impossible. C'est complètement contraire aux règles, et tout le monde le sait.

L'audace du mec ! Becky Vilhauer hallucinait grave. Je le sais, parce qu'elle était juste à côté de moi quand il s'est garé devant le lycée, et vous auriez dû la voir, bouche grande ouverte. Elle était *furax*.

Si vous vous demandez ce que je faisais là, juste à côté de Becky, alias le côté obscur de la force, c'est parce que ici je suis numéro 3 dans la hiérarchie. J'ai aucun espoir de m'élever au-dessus de mon statut et j'expliquerai pourquoi plus tard. Mais le numéro 3, ce sera toujours ma place et, comme on me le rappelle constamment, j'ai déjà du bol d'y être.

Entre le numéro 1 et le numéro 3, il y a Shelli Schroeder. Le numéro 2. C'est ma meilleure amie, même si elle a des côtés un peu salope. Elle m'a dit un truc que j'aurais aussitôt préféré ne pas entendre, et maintenant je vais vous le répéter et vous aussi, vous allez préférer ne pas l'avoir entendu. Elle se laisse peloter et baise même avec les rockeurs du lycée. Genre beaucoup. Une fois, elle m'a confié que Rusty Beck lui avait dit qu'elle avait « la plus grosse chatte qu'il ait jamais baisée ». Ouais. Essayez un peu de ne pas entendre ça. Ben non, impossible. Au fait, elle m'a dit ça comme si c'était un compliment. J'ai pas eu le courage de lui répliquer qu'à coup sûr elle ne risquait pas d'avoir un cavalier pour le bal de promo.

J'aime bien Shelli, mais elle a une drôle de manière d'utiliser son eye-liner. Genre elle fait des cercles autour de ses yeux, si bien que vous avez deux espèces d'amandes noires qui vous fixent tout le temps. L'air implorant. Il y a franchement un truc dans le regard de Shelli qui donne l'impression que vous êtes toujours censé l'aider d'une manière ou d'une autre. J'imagine que c'est pour ça que ces rockeurs l'aident toujours à retirer ses fringues.

OK, donc si je suis numéro 3 et que je ne peux même pas espérer devenir numéro 2 ou numéro 1, c'est parce que mon père est roumain et ressemble au comte Dracula. Sérieux. On dirait un vampire. Même si on le voit jamais et qu'il vit la moitié du temps à Princeton et l'autre moitié en Roumanie. Peu importe. Tout ce qui compte, c'est qu'il m'a légué un nom de famille chelou : Dragomir. Et pour couronner le tout, un prénom encore plus chelou : Anika.

Anika Dragomir.

Alors, vous voyez, c'est sans espoir.

Essayez un peu de fréquenter un bahut rempli de Jenny, de Sherri et de Julie avec un nom comme Anika Dragomir.

Chiche ! Allez-y.

Mais là maintenant, c'est pas le sujet. Là maintenant, personne n'en revient de voir comment Logan s'est pointé en scooter jusqu'au perron de l'école. Comme un mec trop classe.

Et pire encore, il ne calcule même pas Becky Vilhauer quand elle se moque de lui sur son nouveau scoot.

– Ben quoi ? Maintenant, c'est un naze motorisé ?

Et c'est ça le plus chelou de l'histoire : même Shelli le remarque, puisqu'elle m'en parle plus tard quand on rentre du lycée à pied et que le trajet n'en finit plus. Sérieux, c'est tellement long qu'on devrait le signaler à la protection de l'enfance.

Bref, Logan ne fait pas gaffe à ce que Becky dit, parce qu'il ne regarde même pas Becky. Et Shelli non plus. Non, non.

Logan McDonough – ex-naze devenu héros gothique – a les yeux directement et uniquement fixés sur *moi*.

3

Quand j'arrive à la maison, mes nullités de frangines sont déjà enfermées dans leur chambre, en train d'écouter les Stones et de téléphoner à des tas de garçons qui ne les apprécient pas. Mes frères sont de l'autre côté de la maison, sans doute en train de s'immoler par le feu ou de tuer une quelconque bestiole.

Au cas où vous vous poseriez des questions sur la hiérarchie chez nous, voilà comment ça marche : ma sœur aînée, Lizzie, la chef de meute, c'est celle qui ressemble à une rockeuse, s'habille et se comporte comme telle et me provoque sans arrêt sur mes seins, parce qu'elle est plate comme une planche à repasser, alors qu'elle aille se faire foutre. La deuxième, c'est Neener, qui fait un peu penser à Bambi, et tout ce que je peux dire sur elle, c'est qu'elle aime bien les fraises. Après il y a Robby, le gamin insouciant que tout le monde aime bien, qui n'a jamais de problème, l'œil vif et mignon tout plein, genre un bébé de pub. Ensuite vient mon autre frère, Henry, qui ressemble à un ado de sitcom, sauf qu'il broie du noir depuis l'âge de trois ans. Et enfin, la dernière et pas la moindre, c'est moi. Je suis la plus jeune et celle dont le monde a décrété qu'elle était mentalement déséquilibrée.

Ils se trompent, bien sûr, mais ça ne me dérange pas de les laisser croire ça, parce que tout le monde vit dans la terreur constante que je me suicide, et ça me va bien, en fait.

Je parie que vous pensez que j'ai les cheveux noirs, les yeux noirs, et que je suis fan des Cure, mais vous avez tout faux. À l'extérieur, j'ai l'air d'un dessert à la vanille, si bien que personne sait qu'à l'intérieur c'est comme une soupe d'araignées. Sauf si les gens y regardent de plus près.

Par exemple… Oui, j'ai les cheveux blonds, des yeux bleus et la peau claire. C'est vrai. Mais, vous voyez… par ici tout le monde a un petit nez en trompette, alors que le mien a plutôt l'air d'être taillé à grands coups de hachoir. Un autre truc, j'ai une mâchoire de mec, genre carrée, et des pommettes tellement saillantes que vous pourriez vous couper dessus. Et j'ai des cernes sombres et violacés autour des yeux qui seraient peut-être adorables si j'étais un raton laveur. Alors, vous voyez, je suis atroce. Et puis il y a aussi le fait que Becky m'appelle constamment l'« immigrée ». On ne peut pas dire que ça aide beaucoup.

Et pourtant… Si vous ne regardez pas trop attentivement, impossible de deviner que je ne suis pas cent pour cent américaine. Faut m'examiner à fond pour voir que je viens évidemment d'un coin où Vlad l'Empaleur est l'arrière-arrière-grand-père de tout le monde et où vous devez survivre avec un navet par semaine, en le partageant avec vos frères et trois cousins qui vivent dans le grenier.

Mais c'est pas totalement un handicap. En fait, c'est sans doute pour ça que j'ai remporté cette bagarre, il y a deux ans, sur la piste de skate. Voilà comment ça s'est passé : Russ Kluck, un mec des mauvais quartiers, m'aimait bien et essayait tout le temps de m'entraîner faire du roller avec lui. Même si tout le monde sait qu'il vit dans un mobil-home, tout le monde pensait que j'aurais dû me sentir flattée, mais je ne sais pas vraiment comment parler aux garçons, alors je l'ai juste aspergé de ketchup.

Il a trouvé ça mignon et m'a aimée encore plus, mais ça n'a fait que rendre jalouse cette fille qui vit aussi dans les mauvais quartiers. Elle aimait bien Russ et n'en revenait pas que je l'aie éclaboussé de ketchup. Je parie qu'elle pensait se battre avec une espèce de gaufre à la vanille montée sur rollers, sauf qu'elle était loin de se douter qu'elle s'attaquait à un sandwich aux araignées.

Je vais vous expliquer pourquoi j'ai ces bestioles en moi, mais vous devez promettre de ne pas me prendre en pitié, OK ? C'est pas une histoire larmoyante. Juste des faits tout simples. Rien de plus.

Au départ, mon père, le comte Dracula-bis, nous a kidnappés et emmenés avec lui dans un château fort en Roumanie, quand j'avais trois ans. Peut-être que ça ressemblait plus à un manoir. Peu importe. Pour une gamine de trois ans, c'était comme une forteresse. Il n'y avait que moi, ma vraie sœur, Lizzie, et mon vrai frère, Henry, pratiquement livrés à nous-mêmes dans ce château, avec le comte Dracula-bis absent la moitié du temps, mais ça nous allait, parce que lorsqu'il était là, c'était comme avoir une espèce de spectre ambulant qui partage vos Cheerios au petit déj. Non, sérieux, ce mec pouvait carrément refroidir l'atmosphère rien qu'en traversant tranquillement la pièce. C'est pas comme si on avait fait des bêtises ou quoi que ce soit. Vous rigolez ? On avait trop la trouille. C'était clair que si on renversait ne serait-ce qu'une goutte de lait sur le sol en pierre du château, on se retrouvait transformés en statues de verre ou expédiés dans la zone fantôme. Heureusement, on a eu une nounou sympa pendant un moment. Mais il l'a mise enceinte et elle est partie.

Ma mère n'avait aucun moyen de nous faire revenir, alors il a fallu que ce soit moi qui tienne tête à mon père, à l'âge de dix ans, pour rentrer enfin auprès d'elle et de son nouveau mari. Donc, si je récapitule : de trois à dix ans, c'est une espèce de vampire-fantôme qui m'a élevée dans un château glacial en Roumanie. Ne me plaignez pas, c'est pas le but. C'est pour expliquer l'histoire de la soupe d'araignées.

La-fille-des-mauvais-quartiers ne savait pas à qui elle s'attaquait sur la piste de skate et je ne peux pas lui en vouloir. D'après la légende, je l'ai tirée par les cheveux pour la faire tomber et je lui ai collé des grands coups de roller. Mais ça ne s'est pas passé comme ça en vrai. C'était plus une sorte de danse sur rollers bizarre, où chacune agrippait l'autre, tout en décrivant lentement un cercle tordu, jusqu'à ce que le gardien intervienne. En toute honnêteté, on était à égalité elle et moi. Mais j'imagine que cette fille avait la réputation d'être un vrai pitbull, parce que plus personne n'est venu me prendre la tête depuis.

Mes frères et sœurs évitent aussi de me faire chier. Pas seulement parce que je les agace et qu'ils détestent me trimballer partout, mais aussi parce qu'ils ont peur que je me jette du haut d'un pont sous leur surveillance, auquel cas ils seraient privés de sorties à vie !

Robby et Neener, mes demi-frère et demi-sœur, sont cent pour cent américains pur jus. Leur mère vit dans un mobil-home près d'un lac, où il y a même un cheval. Un canard, aussi ? Enfin, c'est ce qu'ils m'ont dit. Ils ne connaissent pas leur bonheur. Je donnerais n'importe quoi pour avoir un père qui vit en mobil-home plutôt que dans un château — peut-être que ça vous paraît débile, mais essayez un peu de grandir en étant à moitié vampire dans le Nebraska.

Henry, mon vrai frangin, se moque d'être un sang-mêlé, parce qu'il sait qu'une fois qu'il sortira de Harvard et aura gagné un milliard de dollars, personne n'en aura rien à foutre et il pourra s'acheter des tas d'amis avec son fric. Puis il y a Lizzie. Bon, Lizzie a décidé de sauter carrément l'étape « sang-mêlé » pour devenir direct super cinglée. Elle est sombre. Garçon manqué. Mauvaise. Elle est capable de vous tuer. Facile à reconnaître, elle traîne la mort dans son sillage.

Alors voilà, quoi, je suis carrément la seule ici à me battre avec le complexe de l'immigrée.

Je parie que vous pensez que je vais au lycée avec tous ces barjots, eh bien non. Heureusement. On vit dans cette portion de banlieue bizarre où on peut choisir entre East High ou Pound High. Mes frères et sœurs ont opté pour East High. Alors j'ai choisi Pound. J'ai fait ça dans l'unique but de me protéger. Mes sœurs, surtout Lizzie, m'auraient pourchassée, torturée et harcelée sans arrêt si j'avais eu ne serait-ce que l'idée de mettre les pieds dans le même bahut qu'elles. Alors pas question. Sinon le lycée serait devenu pour moi un mix entre l'Inquisition espagnole, les procès des sorcières de Salem et n'importe quel film où un marine torture ses subalternes au camp d'entraînement. Non merci, les amis. Très peu pour moi.

Pas question de faire ce plaisir à Lizzie.

Bon, tout ça nous amène à ma mère. Qui est pour l'essentiel la seule personne convenable de la maison. Mais si vous croyez qu'après sa période Dracula elle est allée se trouver le mari parfait, vous vous mettez le doigt dans l'œil jusqu'au coude. Le mec qu'elle s'est chopée mesure un mètre quatre-vingt-dix et pèse cent quarante kilos. Il fait la queue devant nous pour le buffet que ma mère dispose sur la table à manger et il dévore tout. Avec un peu de chance, on a un truc bon dans l'assiette, mais on a intérêt à se servir vite fait. Il ne nous parle jamais, sauf en poussant des grognements, puis il file direct dans sa chambre après le repas, pour s'allonger sur son matelas à eau et regarder *La Roue de la fortune*.

Donc, en résumé, mon vrai père est un vampire et mon beau-père, un ogre. Si ma mère se marie une troisième fois, c'est clair que ce sera avec un loup-garou ou une momie. Je suis sûre qu'elle a épousé ce mec pour que ses gosses aient un foyer et tout ça mais, bon sang, si seulement elle avait pu trouver quelqu'un qui la rende heureuse !

J'ai un plan d'évasion pour ma mère et moi, quand on pourra laisser toutes ces gueules de con mordre la poussière, mais j'en suis qu'à l'étape 2 pour le moment.

Là, je la regarde dans la cuisine et réalise que si on traçait le parcours entre Brigitte Bardot et la Mère Noël, maman serait à un tiers du chemin, en partant de Brigitte Bardot. C'est vraiment un ange et elle mérite certainement mieux que ce bled perdu.

– C'était sympa, ta première journée de cours, ma puce ?

– Pas vraiment. Logan McDonough s'est fait offrir un scooter.

Elle prépare un gratin à la mexicaine, un plat qui revient souvent et en général le lundi soir, sauf si on a des tacos le mardi.

– Oh, je parie qu'il a dû faire son petit effet.

– Pas vraiment. Becky l'a traité de « naze motorisé ».

– C'était pas très gentil de sa part, dis donc.

– Pff… Elle est un peu langue de pute, de toute manière.

– Ma puce, tu sais que je n'aime pas entendre ce genre de mots.

– Je sais. Il se trouve qu'elle n'est pas toujours très sympa, voilà.

– Et toi, tu lui as dit quelque chose d'agréable, à ce garçon ? Je parie que ça lui aurait fait drôlement plaisir.

– Quoi ? Non ! Becky me tuerait.

Maman arrête maintenant de poser les rondelles de patates dans le plat et redresse la tête. Histoire de bien marquer le coup.

– Tu sais quoi, ma puce ? Ce n'est pas parce que Becky agit comme ça que tu dois l'imiter.

– Ouais, exact. Mais c'est genre la fille la plus populaire du lycée, maman.

– Et pourquoi donc ?

– J'en sais rien, elle a été mannequin ou un truc comme ça.

– Mannequin ?

– Ouais.

– Mannequin pour quoi, je te prie, compte tenu du fait qu'on vit dans un bastion de l'industrie de la mode ici, à Lincoln, Nebraska ?

– J'en sais rien. Je pense que c'est genre le catalogue JC Penney, une chaîne de magasins, quoi…

– Oh, alors ça explique tout, j'imagine.

– Maman, tu peux pas comprendre, OK ?

– Ma puce, je dis simplement que tu peux lui tenir tête et…

– Comme toi avec papa, c'est ça ?

Mais elle ne mord pas à l'hameçon. Elle m'ignore et met le plat au four. Peu importe, mes frères déboulent et se mettent à retourner les placards comme les Quatre Cavaliers de l'Apocalypse qui débarquent du Kansas.

– Écoutez, les garçons, on dîne dans une heure. Vous allez vous couper l'appétit, là !

De retour dans ma chambre, je peux m'affaler sur mon lit avec personne dans les parages. L'un des avantages d'être la petite dernière que personne n'aime ? J'ai ma propre chambre. Pendant un moment, j'ai dû la partager avec Lizzie, mais j'arrêtais pas de la traiter de pouffiasse toute la nuit jusqu'à ce qu'elle supplie maman de la déplacer. Ça a l'air dégueulasse, mais le fait est qu'elle passe son temps à parler au téléphone avec des garçons et que ça m'empêche d'étudier. Elle rougit et rigole bêtement, et la moitié du temps elle fait le mur ; mais je dis rien à personne parce que je pourrai utiliser ça plus tard pour la faire chanter. Maintenant, elle est en bas avec Neener et j'ai ma chambre avec la déco qui me plaît, et je peux réfléchir à la manière dont Logan a perdu dix kilos, en me disant qu'il est pas si mal, en fait.

4

Mon patron ne sait pas que je l'empoisonne.

Soyez pas jaloux, mais Shelli et moi, on bosse au Bunza Hut. On doit porter un faux polo Ralph Lauren jaune citron, un short vert pomme et des tennis LA Gear banane. C'est la tenue obligatoire. Chaque fois qu'on prend notre service.

Faut rester près de la machine à glaces, sinon on apparaît tout le temps sur la caméra de surveillance et c'est une intrusion dans la vie privée ou un truc comme ça.

– Les potes trouvent que tu te la pètes, dit Shelli.

Je ricane.

– Je me la pète avec les mecs qui n'ont que le mot « pote » à la bouche.

– Ils donnent une fête vendredi. On devrait y aller.

– Ils vont juste essayer de nous mettre leur hot dog où je pense.

– Qu'est-ce que t'es coincée !

– Ouais, ben je te dis qu'ils ont que ça en tête.

– Y a des filles qu'aiment bien.

– Des filles qui s'appellent Shelli ?

M. Baum, loin de se douter qu'il est shooté à mort, passe la tête de derrière la machine à glaces.

– Hé, les filles ! Je vous paie pour boire des milk-shakes ?
Vous auriez dû voir ce type avant que je me mette à réduire en poudre les Valium de ma mère pour les verser dans son éternelle tasse de café. C'était un con fini. Surtout envers Shelli. Un peu comme si le regard malheureux, désarmé de ses yeux en amandes éveillait un truc en lui qui le forçait à montrer les dents. Il la harcelait. Si elle balayait, il lui disait de passer la serpillière. Si elle passait la serpillière, il lui disait de balayer. Si elle souriait aux clients, il disait qu'elle était trop sympa. Si elle ne souriait pas, il disait qu'elle ne l'était pas assez. Bref, il disait noir quand c'était blanc et blanc quand c'était noir, et, quoi qu'elle fasse, c'était une imbécile pour lui. Ce type est un sociopathe. Un jour il a fait pleurer Shelli en lui disant que son short avait besoin d'un coup de fer, et elle, de perdre cinq kilos. C'est là que j'ai compris qu'il fallait agir.

Alors maintenant je lui colle sa dose. Premier truc que je fais après avoir pointé.

L'astuce, c'est de feinter. Je peux pas broyer comme ça le Valium de ma mère et le verser dans la tasse de mon boss. Vous êtes cinglés ou quoi ? Il s'en rendrait compte dans la seconde. Suffit de parler de la pluie et du beau temps avec un client, tout en s'occupant du broyage. Bien sûr, vient ensuite le problème du dosage.

Voilà comme ça s'est passé la première fois. Il y a environ cinq semaines, le premier dimanche de la présaison de foot, M. Baum avait la gueule de bois, et c'était quasiment une nécessité de le droguer, vu qu'il se comportait en parfaite tête de con.

Il soignait sa migraine à l'arrière et moi, j'étais devant en train de papoter avec une famille du comté de Platte très sympa.

– Oh, ces Huskers[1] ont l'air en forme !

Crunch… Crunch…

– On dirait bien que ça va être notre année.

Crunch… Crunch… Crunch…

– Ces Sooners[2] n'ont aucune chance !

– Exact ! Allez, les rouges !

Je verse le café dans le mug.

Je dose. Je dose. Je dose. Je tourne. Je tourne. Je tourne.

Puis la joyeuse famille de Platte se dirige vers la table, M. Baum a son café et tout est parfait.

Sauf…

Qu'un quart d'heure plus tard on entend un bruit sourd.

Poum !

Shelli me regarde avec ses yeux en amandes. Elle n'a plus de visage, juste des yeux.

Je la regarde et on sait toutes les deux que la situation est désespérée.

– Va voir.

– Non, toi.

– Je peux pas. Tu sais à quel point il me déteste. Il va me tuer. S'il est pas déjà mort.

Shelli marque un point.

– OK, et si on y allait toutes les deux ?

– Genre *ensemble* ?

– Ouais, genre *ensemble*.

---

1. Nebraska Cornhuskers : équipe de football américain de l'université du Nebraska (maillots rouges). *(Toutes les notes sont du traducteur)*
2. Oklahoma Sooners : équipe de football américain de l'université d'Oklahoma (grande rivale des Huskers).

Et maintenant Shelli m'attrape le bras.

– Shelli, c'est pas le moment de me draguer.

– La ferme !

– Je sais bien que je suis super sexy, mais on a une urgence, là.

Impossible de m'en empêcher. C'est trop marrant de taquiner Shelli. Et puis elle est chrétienne, alors si M. Baum est mort, elle est bonne pour la damnation éternelle entre les griffes de Belzébuth, alors que moi, je serai juste privée de sorties.

En arrivant dans le bureau, on ne voit rien de M. Baum hormis ses pieds. Il porte des mocassins à glands, ce qui est déjà une excuse suffisante pour l'empoisonner, mais l'absence de mouvements a de quoi nous inquiéter, c'est sûr.

– Il est… Il est… ?

– S'il l'est, Shelli, je pense vraiment que tu ne devrais pas le toucher. C'est important de respecter les morts. Et puis il risquerait de se réveiller dans la peau d'un zombie.

– La ferme, Anika ! Bon Dieu !

– Je pense aussi que tu ne devrais pas prononcer en vain le nom du Seigneur en présence d'un zombie.

– Doux Jésus…

– C'est le fils du Seigneur, Shelli. Tu viens d'assassiner quelqu'un, et déjà tu prononces le nom du fils de Dieu en vain.

– Anika, arrête, sérieux…

– Écoute, c'est impossible qu'il soit mort.

– T'es sûre ?

– Mouais… Renifle-le ! Il empeste le bar à vodka.

– Ça existe ?

– Oui… non, j'en sais rien. Comme tu dirais un bar à whisky.

– Je me demande si ça existe.

– Shelli, concentre-toi. J'ai besoin que tu vérifies s'il est mort.

– Pas question. Tu t'en charges.

– Impossible. Si je m'approche davantage, il risque de me mordre. On sait toi et moi que je suis roumaine, et si je suis mordue par un mort-vivant, je me transforme aussitôt en vampire. Après t'as aucune chance de t'en sortir.

– Eh ben, pas question que je m'appro…

– *Aucune chance*, Shelli ! Le sang de mes ancêtres te vaincra. Je parie que tu vas juste te volatiliser.

– Je peux pas faire ça, Anika !

Elle pleure presque.

Les glands des mocassins de M. Baum ne bougent pas d'un poil.

– Franchement, la meilleure solution, c'est qu'on regarde ensemble en même temps.

– OK.

– OK ?

– Ouais, OK.

Shelli m'attrape le bras et on entre ensemble, comme deux chatons qui inspectent un rhinocéros à terre.

On est presque arrivées à la mèche rabattue sur son crâne, quand il se met à ronfler tellement fort que ça nous repousse dans l'autre pièce.

Dingue.

Ce type est capable de ronfler !

– Qu'est-ce qu'on fait ? Qu'est-ce qu'on fait ?

– Ben, j'en sais rien, Shelli. Disons qu'il y a deux façons de voir le truc. Soit… on est rongées par la culpabilité parce qu'on est des filles horribles, c'est clair, ou bien… OU BIEN… on accepte le fait que M. Baum est K.-O. pour la journée, on prépare des glaces et on fait un canular téléphonique à ce nouveau prof de débat vachement sexy.

– Sérieux ? On ne devrait pas appeler quelqu'un ?

– Si, ce nouveau prof de débat trop sexy et on lui demande s'il a entendu cette chanson de Police à propos du *jeune prof qui fait fantasmer une collégienne*[1]...

– T'es folle.

– Folle de ce prof de débat.

Et ça, mesdames et messieurs, c'est ce qui arrive quand on ne fait pas gaffe à sa dose de Valium.

Depuis, j'ai perfectionné ma technique et on n'a pas eu de nouveaux incidents. Mais comme vous pouvez le constater, à quelque chose malheur est bon et, dans ce cas précis, depuis qu'a débuté l'administration de Valium, l'attitude de M. Baum s'est beaucoup améliorée.

Comme aujourd'hui. Il nous laisse complètement seules, sans doute assis à son bureau en train d'agiter les doigts devant son visage et de s'émerveiller des traînées psychédéliques laissées dans l'atmosphère. Mais c'est pas important là maintenant, ce qui compte, c'est que pendant mon temps libre, j'ai concocté un plan dont je pense qu'il pourrait drôlement améliorer notre fête de Halloween, notre bal de rentrée et celui de fin d'année.

– Je crois que j'ai trouvé comment piquer dans la caisse.

Shelli s'arrête d'essuyer les comptoirs. Elle écarquille les yeux. On dirait *vraiment* un cerf aveuglé par les phares d'une bagnole.

– T'es sérieuse ?

– Ouais. Bon... la caméra est braquée sur la caisse, OK ?

– Hmm-hmm...

---

1. Référence à *Don't Stand So Close to Me*, chanson du groupe The Police créée en 1980, réenregistrée dans une nouvelle version en 1986.

– On doit donc sous-facturer ce qu'on entre en caisse, mais se faire payer le prix normal par le client, OK ?

– Je pense.

– Ensuite encaisser simplement tout le fric, pour que la caméra ne voie rien, OK ?

– Ouais.

– Mais on tient juste le compte, à part, de la différence.

– Je pige pas.

– OK, si le repas Bunza atteint genre quatre dollars.

– Ouais ?

– On encaisse quatre dollars, mais on saisit « trois » sur la caisse.

– OK.

– Donc, tu notes « un dollar », OK ?

– Ouais, enfin je pense…

– Ensuite on note au fur et à mesure la différence sur toute la journée.

– OK, et après ?

– OK, il y a des caméras partout, pas vrai ?

– Ouais.

– Alors avant de déposer la recette en fin de soirée, on doit récupérer la différence, mais là où il n'y a pas de caméra, ouais ?

– Ouais…

– Donc, où est-ce qu'il n'y a pas de caméra ?

– J'en sais rien.

– Réfléchis.

– J'en sais rien ! Tu me stresses !

– Shelli, j'essaye juste d'améliorer notre train de vie.

– OK, bon, donne-moi juste la réponse ou… C'est vache, c'est comme si tu te vantais ou un truc comme ça.

– OK. La réponse est… il n'y a pas de caméra dans… l'escalier.

– Lequel ?

– Celui qui descend au coffre.

– Oh…

– Réfléchis, c'est parfait. Tout ce que t'as à faire, c'est de retirer la différence, que tu connais à partir de ce que t'as pointé. Tu la glisses dans ta poche et tu déposes le reste au coffre. Parfait, non ?

– Je ne le ferai pas.

– OK, t'es pas obligée. Tu me couvres, c'est tout, OK ?

– Comment ça, je te couvre ?

– Ben, tu sais, tu distrais M. Baum ou je sais pas quoi.

– Comment je peux le distraire ?

– J'en sais rien. Tu lui montres tes nichons ?

– Trop dégueu !

– Je sais. Il *est* dégueu.

– Et con !

– Exact, Shelli.

Je pose la main sur son épaule.

– C'est pour ça qu'on le vole. Parce qu'il est con.

Vous me croyez si je vous dis qu'au beau milieu de l'exposé de mon complot tordu la porte s'ouvre, et que Logan McDonough apparaît ? Shelli fait un signe de tête dans sa direction et le voilà tout d'un coup à la caisse, et il se penche vers moi.

– Euh… Je vais prendre un Coca. Et des frites.

– Tu veux pas un Bunza ou autre chose ? je lui demande. On est obligées de dire ça au client.

– Non.

– OK, euh, ça fera… deux dollars et dix-sept cents.

Il ne dit même pas un mot. Il pose juste les billets et la monnaie sur le comptoir.

– Oh, t'as fait l'appoint, merci.

Il ne me regarde même pas. Genre il est rentré en lui ou je sais pas quoi.

– Je peux parler au directeur ?

– Hmm… Quoi ?

– J'aimerais parler au directeur, s'il te plaît.

Oh ! bon sang, il m'a entendue, tu crois ? je me demande. *Tu penses qu'il est au courant de mon plan diabolique pour voler le Bunza Hut et qu'il va me dénoncer ?*

– Hmm… OK, pas de problème.

Shelli n'a plus figure humaine. C'est juste deux yeux géants près de la fontaine à sodas. Qui regardent.

– Monsieur Baum ? Euh… quelqu'un voudrait vous parler…

Le patron sort du bureau en retirant sa casquette Bunza et se tient planté là, comme un rôti de bœuf. Heureusement, c'est pas le jour où on a failli l'empoisonner à mort. Aujourd'hui, il arrive au moins à tenir debout. Et à marcher.

Logan prend la parole. Tout à coup, on dirait un mec sorti tout droit de *Sesame Street*.

– Bonjour, monsieur. Je tenais simplement à vous dire… que vous avez ici une employée top niveau avec un potentiel certain pour accéder à un poste de chef d'équipe.

Mais. De. Quoi. Il. Parle ?

M. Baum hoche la tête, totalement largué.

– On ne m'a jamais servi des frites avec un tel amour. Une telle gentillesse. Et je pense que vous devriez être fier que cette jeune fille fasse partie de la famille Bunza. Je lui octroie cinq étoiles sur cinq. Pour l'accueil clientèle. Et son amabilité en général.

À ces mots, Logan prend ses frites, sa boisson et s'en va, tranquille, et le comptoir du Bunza de Lincoln sud-est se retrouve plongé dans le silence.

M. Baum se tourne vers Shelli et moi.

– Un copain à vous ?

Shelli et moi secouons vivement la tête, *non, non, non, non…* même si je ne sais pas vraiment pourquoi.

– Ma foi, bon travail. C'est bien.

Il retourne mélanger sa viande hachée Bunza. Shelli et moi, on reste là deux secondes à se dévisager en silence, avant d'éclater de rire.

– QU'EST-CE QUE… ?

– Je sais !

Shelli n'en revient pas non plus.

– Sérieux ?

– JE SAIS !

C'est tout juste si on arrive à se contrôler maintenant. On ne devrait plus porter la tenue Bunza. On ne représente plus le restaurant de manière responsable.

– Je crois que quelqu'uuuuun craaaaque pour toiiii, chantonne Shelli.

– La ferme.

– Et tu sais quoi…

– Ne… Ne t'avise même pas de…

– Je pense qu'il te plaît lui aussi.

– Non. Faux.

– Oh si. Grave.

– Non, je te jure que non.

– Vraiment ? Ça veut dire que tu ne lui accordes pas *cinq étoiles sur cinq* ?

Bien sûr, faut que je lance mon torchon sur Shelli. Bon sang, c'est un tel soulagement quand Becky n'est pas là. Shelli et moi, on est libres quand Becky est occupée ailleurs. Sans doute en train de se regarder dans le miroir. Mais ça n'a pas d'importance, là maintenant. Tout ce qui compte, c'est

que ce que Logan McDonough vient de faire est carrément génial. Et bizarre. Et il semblerait qu'il soit bien plus
intéressant que ce qu'on pourrait penser, moi ou n'importe
qui d'autre.

Si on transformait un labrador en être humain, on obtiendrait Brad Kline. Toujours content, pêchu, et à peu près aussi intéressant et complexe qu'une souche d'arbre. Mais c'est le garçon le plus populaire du bahut et aussi le petit copain de Becky. Bien sûr. Pour ma part, les choses les plus intéressantes chez lui, c'est son incapacité totale à voir la véritable nature de Becky, et son frère, Jared Kline. Oui, LE FAMEUX Jared Kline.

Vous voyez, j'aime bien un mec qui a l'air d'être sur le point de braquer une banque. Et Jared Kline a l'air de faire la bringue avec Bonnie et Clyde depuis six mois. Il a un look débraillé. Destroy. Mauvais. Là où Brad ressemble à un petit chien, Jared a l'air d'un loup. Un grand méchant loup dont votre mère vous a parlé, mais maintenant vous devez simplement ignorer votre mère. Il vient de quitter le lycée. Et il n'a jamais été capitaine de l'équipe de foot américain ou européen, ou même de l'équipe d'athlétisme. Pour ce que j'en sais, il était, et est peut-être encore capitaine de l'équipe Je-fume-du-shit-et-j'écoute-Pink-Floyd-après-les-cours.

Quoi qu'il en soit, son nom est sur toutes les lèvres ce matin parce qu'il y a une rumeur qui court : il a mis Stacy

Nolan enceinte. Ça a commencé à la première heure de cours, à peine un murmure, et maintenant, juste avant le déjeuner, ça va crescendo… à tel point qu'on dirait que le principal va l'annoncer au haut-parleur d'une seconde à l'autre.

Becky ne tient plus en place. Elle est quasiment debout avant la sonnerie et déjà dans le couloir, juste à côté du casier de Stacy Nolan. Ça m'agace d'être obligée de rester là à attendre avec Shelli pendant que Becky manigance un truc chelou, mais c'est une règle tacite. Obéir ou mourir.

Je jure que Stacy l'a vue et essaye de s'esquiver, mais ça n'arrivera pas. Becky s'avance tranquille vers elle, avec un sourire en coin par-dessus ses bouquins.

– Tu ne vas pas nous inviter ?

Shelli et moi, on se tient en retrait, prêtes à reculer.

Stacy se balance d'un pied sur l'autre. Son visage est devenu si blême que les taches de rousseur sur son nez ressortent plus que d'habitude. Sous sa frange brune, elle croise à peine le regard de Becky, parce qu'elle sait que le coup va tomber. Bon sang, c'est douloureux.

– À quoi… ?

Et Becky se penche alors vers elle :

– *À ta baby shower.*

Je remarque qu'un attroupement s'est formé autour de nous et la petite vanne de Becky fait rire tout le monde. Trop *marrante*, les mecs, non ?

La pauvre Stacy est tellement traumatisée qu'elle lâche malgré elle une sorte de cri étouffé. Elle tourne les talons et détale dans le couloir comme un rat qui aurait reçu un coup de pied dans le ventre. Becky se retourne vers nous en quête d'approbation. Mais j'ai juste un nœud énorme à l'estomac en pensant à cette pauvre Stacy Nolan, désormais paria.

Les autres élèves se dispersent et Becky reste plantée là, comme si elle nous défiait de riposter.

– Qu'est-ce qui vous arrive, toutes les deux ?

Shelli et moi, on ne peut rien faire d'autre que de marmonner dans notre coin. Je crois qu'on invente même de nouveaux mots à marmonner. Le petit numéro de Becky fait encore glousser des pom-pom girls. On garde quant à nous les yeux rivés à nos classeurs et on part en cours en traînant les pieds. Après la dernière sonnerie, on s'éclipse pour notre longue et cruelle marche vers la maison.

Les trois premiers pâtés de maisons, on ne dit rien. Mais pas question que le sujet qu'on n'aborde pas soit Becky.

Tout le monde l'adore, pourtant c'est le mal à l'état pur.

Le plus bizarre… c'est qu'on ne voit pas vraiment ce qui l'a rendue comme ça. C'est pas comme si son père était criminel, ou sa mère accro au crack, ou comme si elle avait grandi à l'orphelinat ou autre. Ça *expliquerait* en fait ses pouvoirs démoniaques. Ben non, elle est née, elle a fait quelques photos de mode pour le catalogue Penney, et abracadabra… BELZÉBUTH, me voilà !

La seule justification possible : quand elle était à la crèche, une sorte de fantôme mécontent a dû se glisser dans son berceau, prendre possession de son corps de bébé et décider de causer des ravages autour d'elle, histoire de se venger d'une quelconque injustice restée en suspens. C'est vraiment l'explication la plus simple.

Quoi qu'il en soit, on devient peu à peu ses larbins démoniaques. Et moi, j'ai pas signé pour ce genre de boulot.

On est maintenant à six rues de l'école, l'air est aussi épais que de la Jell-O, et on aborde le sujet.

Je parle la première.

– C'était TELLEMENT NUL.

– Je sais.

– Non mais, sérieux, je veux dire.

– JE SAIS.

Un silence.

– Tu penses que c'est vrai ?

– Quoi ? Qu'elle est enceinte ?

– Ouais.

– Peut-être.

Nouveau silence.

– Faut qu'on fasse un truc.

– Genre quoi ?

– J'en sais rien, qu'on la défende ou je sais pas quoi.

– Pas question ! Impossible !

– Ben… pourquoi pas ?

– Pourquoi pas ? Tu rigoles ? Parce qu'on n'a pas à se plaindre, comparé à elle. Je veux dire, toi, t'es quasiment genre… ethnique, et moi, je roule des pelles à tous les mecs, et personne ne va nous torturer pour ça !

Encore un silence.

– Et si on démarrait un nouveau groupe de copines ?

– T'es folle ? Becky va nous CRUCIFIER. Et qui voudrait bien devenir copines avec nous ? Sans doute personne.

– Il y a forcément quelque chose à faire.

– Écoute, si on contrarie Becky… oublie ça. Elle va se retourner contre nous et ce sera genre pervers. Tu sais bien. Il ne s'écoulera pas deux secondes avant que je sois carrément transformée en prostituée, et toi, tu seras genre… une négresse.

– Une négresse ?

– Ouais. Une négresse. Et elle ajoutera un truc. Genre elle t'appellera une… négresse vampire.

– Une négresse vampire ?

35

– Ouais.

– Une négresse vampire.

On continue à marcher, il commence à faire sombre. Le soleil se dit qu'il va bientôt se coucher. On a toutes les deux des frissons. Les arbres deviennent noirs et hérissés de pointes. À croire qu'ils vont nous attraper pour nous étrangler. Une seule pensée me traverse l'esprit : j'ai pas envie qu'on me traite de négresse vampire.

6

Si vous voulez tout savoir, notre maison ressemble un peu à un Pizza Hut. On en avait une super dans le temps, une ferme aux abords de la ville, avec une grange et tout, mais on s'est fait expulser pour qu'ils puissent construire un Walmart[1]. Alors maintenant, c'est la banlieue et une maison où on pourrait aussi bien arriver en bagnole et commander des gressins.

Ce soir, ma mère prépare un rôti à la cocotte. Je me mets à couper les carottes, les poireaux et le reste. C'est le plus sûr pour que je n'empoisonne personne. Je suis loin d'être un cordon-bleu. Ma pauvre mère a bien essayé de m'apprendre, mais maintenant elle sait que ça m'est impossible de cuisiner un truc sans rêvasser et tout brûler. Et puis qui a envie de déployer autant d'efforts, toutes ces heures et cette concentration, pour un plat qu'une espèce d'ogre va engloutir en deux secondes avant de lâcher un rot ? Bref, tout ça est tellement dégueu.

Je ne peux pas m'empêcher de penser à Stacy Nolan. Qu'est-ce qu'elle fait en ce moment ? Elle est au lit, en train de pleurer ?

---

1. Chaîne de supermarchés.

Elle a déjà changé d'école ? Est-ce qu'elle est vraiment enceinte de Jared Kline ? Plus que tout, je me sens mal, voilà. On aurait dû faire un truc. On aurait dû essayer de la défendre.

– Quelque chose te tracasse, ma puce ?

J'épluche. Je coupe. Je tranche.

– Non, pas vraiment.

– Tu en es sûre ?

Ma mère est tellement adorable à tous les niveaux. La plupart des filles détestent leur mère en ce moment. Vous devriez voir Becky, par exemple. Mais on dirait que la mienne sait garder la distance idéale. Elle ne m'étouffe pas avec son affection et ne m'emmène jamais faire du shopping. Et, maintenant que j'y pense, elle ne me donne jamais de conseils de beauté, comme la mère de Shelli. Celle de Shelli est intarissable sur le sujet. Elle va tellement vous saouler avec Color Me Beautiful, son maquillage, que vos yeux vont finir par se révulser. Mais pas ma mère. Elle nous envoie juste à l'école après le petit déj – œufs, pancakes, parfois du pain perdu –, rentre à la maison à 5 heures et se met à préparer le dîner. Mais bon, elle prend de nos nouvelles, à sa façon. Genre elle s'inquiète ou autre.

– OK, peut-être qu'il y a un truc.

J'épluche. Je coupe. Je tranche.

– Eh bien… tu veux en discuter ?

– Stacy Nolan est enceinte.

– Hmm ?

– Et tout le monde le sait.

– Hmm ?

– Et tout le monde en parle.

– Hmm ?

– Et Becky a fait un truc genre vraiment méchant.

– Hmm… Qu'est-ce qu'elle a fait au juste ?

– Eh ben, genre… elle est allée la voir devant tout le monde en lui demandant si on serait invitées à sa baby shower.

– Ce n'est pas très gentil.

– Je sais.

J'épluche. Je coupe. Je tranche.

– Si t'avais vu sa tête. C'était comme si on lui avait donné un coup de poing.

– On ?

– Ben… Shelli et moi, on se tenait juste derrière elle.

– Derrière Becky ?

– Ouais.

– Et vous n'avez rien dit ?

– Non.

– Hmm… Eh bien, comment tu te sens ?

– Horrible. Je me sens horrible, maman.

J'épluche. Je coupe. Je tranche.

– Eh bien, peut-être qu'il y a quelque chose que tu pourrais faire pour te sentir mieux. Pourrais-tu appeler… elle s'appelle comment déjà ? Stacy ?

– Impossible. Becky péterait un câble.

Soupir. Ma mère en a tellement marre d'entendre parler de Becky. Shelli, elle l'aime bien. Ça ne la dérange pas quand Shelli passe à la maison. Mais elle sait que Becky est du côté obscur de la force.

– Ma foi, je ne vais pas te dire quoi faire, mais… je pense que tu devrais parler à cette fille. Elle traverse une période difficile et peut-être que tu pourrais même…

– C'est ça !

– Pardon ?

– C'est ça ! Tu dois me DIRE d'aller m'excuser. Si tu m'y obliges, sous peine d'être privée de sorties, Becky ne peut rien répliquer parce que c'est ta faute.

– Ma faute ?

– Ouais. Puisque je m'attire des ennuis si je n'obéis pas. Ça peut être ma justification.

– Hmm…

– OK, alors dis-le. Dis-moi que je dois aller m'excuser.

– Ma chère fille, tu dois aller t'excuser.

– Sinon je serai privée de sorties.

– Sinon tu seras privée de sorties.

Elle met le rôti au four, les mains protégées par ces petites maniques rigolotes avec des taches de brûlé partout. L'imprimé, c'est des souris à la ferme. Qui a bien pu avoir cette idée ?

– Merci, maman ! Je serai de retour pour le dîner, promis.

Le rôti entre dans le four et moi, je sors. Dans le ciel du soir, où le soleil se met à transformer les arbres en poussière d'or. Stacy Nolan habite à environ cinq pâtés de maisons. Mon plan consiste à me pointer à sa porte et à frapper. J'aimerais que Shelli puisse me voir. Elle en mourrait sur place.

7

La maison de Stacy Nolan est en briques peintes en blanc, avec des volets noirs et une porte rouge. C'est plus joli que notre espèce de Pizza Hut, c'est sûr. Son père est ophtalmo ou un truc du genre. Normalement, je serais jalouse. Mais pas maintenant.

Je devrais sans doute penser à un meilleur plan que celui-ci. Mais bon voilà, je suis sur les marches du perron et, avant que je puisse m'arrêter, ma main se lève vers le heurtoir en cuivre rutilant et…

Toc… Toc… Toc…

La porte s'ouvre plus vite que je le pensais. Peut-être qu'ils m'ont vue monter l'escalier ou je sais pas quoi. C'est sa mère. Je vois bien qu'en ouvrant la porte elle sait qu'il y a un truc qui cloche chez sa fille. Peut-être pas quoi. Mais un truc quelconque. Elle hésite. Protectrice. Une maman ourse.

– Oui ?

– 'Soir, euh… je… je vais en cours avec Stacy et je voulais lui parler.

– Ah bon ?

– Ouais, je voulais… plus ou moins m'excuser…

– Je vois.

Elle disparaît, puis Stacy passe la tête à l'autre bout du couloir. Bon sang, elle n'a pas l'air contente de me voir. Comme si j'étais les flics ou je sais pas quoi.

– Stacy, ma chérie, cette jeune fille est venue te voir (maintenant elle chuchote)... pour s'excuser.

Stacy lève la tête, perplexe. Elle s'avance vers la porte, méfiante, genre *c'est un piège ?*

À présent elle est là devant moi.

– Hé... euh... Salut.

Bon sang, c'est pénible.

– Salut.

– Alors... euh... je me sens vraiment mal par rapport à ce que Becky a dit aujourd'hui. On se sent mal toutes les deux. Shelli et moi. Genre hyper mal. Surtout à cause de (je murmure)... tu sais.

– Mais c'est pas vrai !

– Quoi ?

– C'est même pas vrai ! C'est ça, le pire !

– Ah bon ?

– Absolument pas.

– T'en es sûre ?

– Euh, oui. Je ne connais même pas Jared Kline. Je veux dire, il est sexy et tout. Mais je ne le connais pas. Genre il sait même pas qui je suis. Malheureusement.

– C'est vrai qu'il est sexy, hein ?

– Ouais.

On sourit. Je parie que c'est la première fois qu'elle sourit aujourd'hui. La pauvre. Ça craint, parce qu'il suffit que quelqu'un dise un truc une fois, et ensuite tout le monde suppose juste que c'est vrai. Genre... coupable jusqu'à preuve du contraire.

– Bon, alors tu penses que quelqu'un a lancé la rumeur ?

– Ouais.

– Alors tu vois qui ? Ou bien tu penses à quelqu'un qui t'en voudrait à mort ou un truc comme ça ?

– J'en sais rien. Je vois vraiment pas, je veux dire.

– Hmm…

En la regardant de plus près, je constate qu'elle a pleuré toutes les larmes de son corps.

– Tu sais quoi ? Je peux arranger ça. Genre, je lancerai ça demain en première heure.

– Vraiment ?

– Ouais, je sais comment faire. Tu vas voir.

Son visage, jusqu'ici minuscule et refermé sur lui-même, s'agrandit et devient tout à coup radieux. Et affiche même un grand sourire. Elle me regarde comme si j'étais Mère Teresa ou je sais pas quoi.

– On se voit demain.

À ces mots, je hoche la tête d'un air confiant, puis tourne les talons et descends les marches de son perron.

Bon sang, me dis-je une fois sur le trottoir, *j'espère vraiment trouver une idée.*

Il y a une façon d'agir et voilà comment ça marche. D'abord, vérifier que Becky est absente ce matin en raison d'un rendez-vous chez l'orthodontiste. Ensuite, gravir les marches du lycée. C'est un matin frisquet où l'été cède la place à l'automne. Je contemple le feuillage d'un air ravi jusqu'à ce que Jenny Schnittgrund déboule, tout essoufflée.

– T'as entendu ?

– Entendu quoi ?

Ça fait deux ans que Jenny Schnittgrund fait tout son possible pour monter de deux ou trois crans dans la hiérarchie sociale. Elle est loin de se douter que ça n'arrivera jamais, parce que Becky flaire son acharnement et son désespoir, et c'est pour cette raison qu'elle est vouée à l'échec. Malgré les nouvelles fringues, les sorties au centre commercial et sa carte d'abonnement chez Tans-R-Us[1], Jenny Schnittgrund ne sera jamais rien d'autre qu'un larbin, dans le meilleur des cas.

– Stacy Nolan est enceinte !

---

1. Chaîne de centres de bronzage.

44

Tu t'arrêtes, tu réfléchis. Waouh ! Jenny a vraiment le teint d'un Oompa-Loompa dans *Charlie et la chocolaterie*.

– Et Jared Kline est le père !

On y va, les amis. Pourvu que ça marche.

– T'es pas au courant ? C'est l'autre Stacy, celle qui vient de Palmyra.

C'est le moment où je me penche et ajoute en mode confidence :

– Et c'est même pas Jared Kline. Je le sais, parce que je connais le mec. C'est un vrai queutard.

Jenny Schnittgrund recule. C'est comme si je lui disais que les extraterrestres débarquaient après la sixième heure de cours. Ses pieds ont cinq minutes de retard sur son cerveau, qui tourne déjà à plein régime pour annoncer la nouvelle à tout le monde. Un scoop !

Elle me regarde, hoche la tête, me remercie de l'avoir mise au parfum. Si ça se trouve, elle se croit même populaire maintenant, je le vois bien.

On s'engouffre dans le bahut et la rumeur nous accompagne. Jenny et moi partons chacune de notre côté. Moi, je vais direct vers mon casier, mais la rumeur file ici et là, de la bouche de Jenny à l'oreille de cette fille, puis vers ce groupe de mecs près du parc à vélos ; elle franchit la porte, atteint ces deux filles à côté de leurs casiers, passe devant le bureau du principal, la salle des profs, traverse le groupe de rockeurs, puis les oreilles de la chef des pom-pom girls, qui m'intercepte alors que je me dirige vers ma salle de classe.

Elle manque me renverser, bouquins à la main.

– T'es au courant ?

– De quoi ?

– C'est pas Stacy Nolan qui est enceinte. C'est une autre Stacy. Cette fille qui vient du côté de Palmyra.

Elle se penche vers moi, genre la fille qui s'y connaît.

– Je le sais, parce que je connais le mec, et c'est un vrai queutard.

– Vraiment ?

– Ah ouais. Carrément. Un queutard, je te dis.

Waouh ! Mes paroles. Mot pour mot.

Voilà ce que j'appelle une réussite.

Je hoche la tête et me faufile dans la classe.

Vous devriez voir Stacy Nolan. Elle est assise toute seule dans son coin. C'est bizarre parce qu'elle se tient parfaitement immobile, mais on sent pratiquement qu'elle tremble. Bon sang, elle panique.

Maintenant, la touche finale.

C'est là que j'aimerais préciser que c'est la figure la plus délicate du numéro. Genre, si je tape dans le mille, les juges russes m'accorderont des points supplémentaires. Si je rate, ça peut virer au désastre total. Je peux finir bannie… euh, à vie… avec Stacy.

Plutôt que de m'asseoir à ma place à l'avant, parce que je suis une élève qui ne récolte que des A grâce à mon père vampire, je m'installe carrément à côté de Stacy. Elle me regarde comme si je débarquais tout juste de la planète Mars.

Je sors un magazine *Seventeen* de mon sac à dos et le pose devant nous. À la façon dont elle me dévisage, c'est comme si j'étais James Bond ou un truc comme ça.

– Ce numéro d'octobre est tellement gay. Ils ne parlent que de la rentrée et des soirées de Halloween. Une fois de plus.

Stacy Nolan a pigé le signal. Oui, elle est censée regarder maintenant. Oui, elle est censée être captivée. On fait mine de parcourir le magazine ensemble.

– Aaargh ! Ce mec me dégoûte.

Silence.

– T'aimerais embrasser celui-là, toi ?

Silence.

– Beurk ! Regarde celui-ci ! Quel gros naze !

Silence.

– Oooh, j'aime bien ça. C'est Guess ?

Silence.

– Cool, ces chaussures. J'aime bien les jambières avec.

Stacy acquiesce juste à mon côté, mais c'est pas ce qui se passe vraiment. Ce qui se passe, c'est que la classe commence à se remplir, les élèves arrivent, l'un après l'autre, et nous voient. Ils me voient moi. La troisième fille la plus populaire du bahut. Côte à côte avec Stacy Nolan. Celle qui, hier encore, était enceinte.

Mais aujourd'hui ? Eh ben, aujourd'hui, elle feuillette des magazines avec la numéro 3 ici présente.

Ils commencent à affluer.

D'abord, les pom-pom girls. Puis les filles accros à la laque. Ensuite, les hard-rockeurs. Puis les surdoués. Et maintenant pour le coup de grâce… Charlie Russell. Oui, si Charlie Russell mord à l'hameçon, on est tirées d'affaire.

Charlie, c'est le maire de facto ici. Tout le monde le connaît. Tout le monde est pote avec lui. Il est plutôt sympa, mais si vous demandiez à quelqu'un pourquoi Charlie est aussi célèbre au bahut, je doute qu'il pourrait vous répondre. Peut-être que c'est parce que Charlie joue au tennis, porte des polos de rugby et vit dans une maison gigantissime sur Sheridan Boulevard.

Charlie s'assoit juste à côté de moi. *Yes !*

– Bonjour, mesdames. Qu'est-ce qui me vaut le plaisir ?

– Ce magazine débile. Regarde comme c'est nul.

Si vous aviez dit à Stacy Nolan qu'à la première heure, avant la première sonnerie, elle serait entourée par les pom-pom girls, les accros à la laque, les hard-rockeurs, les surdoués, Charlie Russell, et votre serviteur… pour parcourir *Seventeen* dans un concert de « Oooh » et de « Aaah », elle vous aurait expédié direct chez les cinglés. Mais voilà, Stacy Nolan, jadis Stacy Encloque, est de nouveau le point de mire, mais dans le bon sens, cette fois. Ça dépasse la rédemption. Peut-être même plus populaire. Vu qu'elle a évité un scandale et tout ça. La cloche sonne et tout le monde va s'asseoir. Je regagne ma place de fayote au premier rang. Avant que Mme Kanter se lance dans l'histoire de l'égreneuse et la productivité du Sud en général, Stacy Nolan me regarde de l'autre côté de la salle. Vous avez vu l'admiration sur son visage ? À croire que je suis la bonne fée de Cendrillon.

Je souris et lui fais un clin d'œil, tandis qu'elle articule en silence : « Merci. »

Même si je suis faite de soupe d'araignées, une partie de moi-même n'est pas mécontente d'éprouver ce que j'éprouve là maintenant. À savoir que peut-être… peut-être que c'est possible d'avoir plutôt bien agi.

Et je profiterais de ce moment. Vraiment. Si je ne savais pas que j'allais le payer, et cher en plus, quand Becky sera revenue de chez l'orthodontiste et apprendra ce qui s'est passé.

9

Comme prévu, alors que Shelli et moi, on quitte l'école pour entamer notre hyper longue marche jusque chez nous, Becky surgit.

– C'est quoi, ce bordel ?

Oh ! bon sang. Ça va faire mal. Shelli regarde le trottoir. Elle sait ce qui va tomber.

– Qu'est-ce qui se passe ? je lui demande.

– Tu sais bien, l'immigrée.

Des gens commencent à nous regarder et c'est capable de me détruire. J'en sais rien. Peut-être que je n'aurais jamais dû me mouiller. Mon sens moral débile. Merci bien.

– Non, je vois pas.

– Vraiment ? Deux mots. Stacy. Nolan. Ça te dit quelque chose ?

– Aaah ouais, ma mère est TELLEMENT PÉNIBLE.

Becky s'arrête.

– Attends… Quoi ? Qu'est-ce que ta mère vient faire là-dedans ?

– Elle m'a obligée à aller là-bas hier soir pour M'EXCUSER. C'était TELLEMENT NUL.

Et là je roule des yeux pendant trois secondes.

– Vraiment ?

– Ouais. C'était genre... atroce, quoi.

– À quoi ressemblait sa maison ?

– Un peu naze. J'en sais rien, c'était... euh... son père a des faux canards partout.

– Des faux canards ?

– Ouais, genre colverts. Je crois que c'est comme ça que ça s'appelle.

– Ça sentait mauvais ?

– Complètement. La soupe. Même la pelouse, plus ou moins.

– Quelle ratée. J'en reviens pas que tu lui aies parlé.

– Je sais ! Mais, genre... je devais le faire. Ma nullité de mère allait me priver de sorties, sinon.

– Ah bon ?

– Ouais, pour... euh... un mois.

– Arrête.

– Je t'assure.

Et on soupire toutes les trois en chœur contre l'injustice des mères.

– C'était TROP chelou.

– On dirait bien, ouais.

Heureusement, Brad Kline déboule. Il passe le bras autour de Becky, qui frimerait à mort parce qu'elle se tape le mec le plus populaire du bahut, si elle n'avait pas l'air agacé de le voir froisser sa robe.

– Hé, les filles. Une fête chez moi. Vendredi soir. Tâchez d'y être.

Et maintenant, il me fait un signe de tête.

– Surtout toi. Chip t'aime bien. Tu sais ça ?

Chip Rider arrive en deuxième position au rayon des mecs populaires. Il est blond aux yeux bleus et fait penser au fils que Ken aurait eu avec une poupée Patouf.

– Alors, tu viendras ?

– Oui, je pense.

Ce Brad, franchement, il a le QI d'un grille-pain. Une vingtaine de ses crétins de potes l'appellent à ce moment-là. Ouf ! Faites passer les cornflakes, Becky et lui rejoignent les profondeurs abyssales de l'équipe de foot. Becky lâche un truc qui fait se plier en deux les footeux et leurs groupies-pièces rapportées.

Shelli et moi, on s'éclipse sur le trottoir pour reprendre notre long trajet. On n'a pas sitôt parcouru la moitié du pâté de maisons qu'on pousse un énorme soupir de soulagement.

– Waouh ! C'était moins une.

10

À quoi pensent nos parents en nous obligeant à effectuer ce long trajet quotidien ? Franchement, ça me dépasse. D'abord, il commence à faire froid. La fin septembre va ramasser le soleil à la pelle, secouer tout ça et le transformer en fête des moissons, nuit de Halloween, bal de rentrée, journée de la dinde, et enfin l'apothéose de Noël. Mais là maintenant, ça caille et ça va en s'empirant.

Il fait à peine quatre degrés aujourd'hui, le soleil va se coucher et Shelli et moi avons oublié nos manteaux. Par « oublié », je veux dire qu'on a levé les yeux au ciel quand nos mères respectives nous ont demandé où on les avait mis. La mère de Shelli est carrément obsédée. Genre la chrétienne pure et dure, toujours en train de parler de ce que Jésus ferait, et du sens véritable de Noël, et de la meilleure manière de détester les gays. Si elle savait qu'une Marie Madeleine grandissait sous son nez, je parie que ses yeux se révulseraient et qu'elle se mettrait à baragouiner des langues inconnues.

Un autre truc aussi, elle m'appelle la « Mexicaine ». Oui, mesdames et messieurs, d'après la mère de Shelli, je suis sa copine mexicaine. Peu importe que Shelli lui ait dit un million de fois que j'étais à moitié *roumaine* et que je ne voyais jamais mon père, de toute façon. Non, m'sieur. Je suis toujours une *señorita* du sud de la frontière. Pour elle, une immigrée est une immigrée, basta, mais là où ça devient moins marrant, c'est que Shelli a dû vraiment la supplier pour devenir amie avec moi, après que sa mère eut découvert le truc. Je ne rigole pas. Shelli a dû réellement supplier sa chelou de mère pendant des jours pour avoir l'autorisation de fréquenter une sang-mêlé comme moi. Sa mère avait déclaré mot pour mot, je cite : « Je ne veux pas que ma fille traîne avec une métèque. » Fin de citation. Vous mesurez le niveau de connerie ?

Mais Shelli s'est montrée loyale. Elle a fait une grève de la faim jusqu'à ce que sa mère capitule. Malgré tout, j'aime pas trop traîner dans le coin quand elle rentre du travail.

Avant son retour, Shelli et moi, on a tout un cérémonial. Lorsqu'on arrive chez elle, comme c'est à mi-chemin entre l'école et chez moi, on s'affale, on mange des cookies, on boit du chocolat chaud, on regarde MTV, on lit des magazines et on cancane sur les mecs qui lui plaisent. On devrait sans doute virer les cookies, mais n'oubliez pas qu'il commence à faire froid, alors c'est impossible, franchement.

Mais aujourd'hui les cookies ne sont pas au programme. Une fois que Becky a eu filé avec Brad Kline et son festival de footeux, Shelli et moi, on pensait être hors de danger. On était à cinq pâtés de maisons du bahut à peu près, et devinez qui se pointe sur son scooter ?

Logan. McDonough.

Shelli me regarde comme si c'était le groupe de motard les Hell's Angels au complet.

– *Qu'est-ce qu'on fait ? Qu'est-ce qu'on fait ?*

– On reste naturelles.

Il s'arrête au coin de la rue, devant nous, si bien qu'on ne peut pas franchement l'ignorer. Il retire son casque, louche sur la visière.

– Ça te dit de faire un tour ?

Shelli et moi échangeons un regard. Laquelle de nous deux ?

– Toi. Anika.

Puis il répète le prénom, genre juste pour lui.

– Anika.

Shelli me regarde et murmure :

– Hmm… Ça craint, non ?

– J'y vais, dis-je en chuchotant à mon tour.

– Non, tu peux pas !

Shelli a l'air carrément paniquée maintenant.

– Pourquoi ?

– Tu sais bien.

– Tu penses que je vais brûler en enfer ?

– Non, je pense que Becky va te torturer lentement, et tu le sais.

– Eh ben, ne lui dis pas.

– Elle le découvrira.

– Non.

– Oh que si.

– C'est juste un tour en scoot. Ce sera… notre petit secret.

Et me voilà partie pour grimper à l'arrière du scooter de Logan McDonough. Incroyable, non ? Lui non plus n'a pas l'air d'y croire. Il me dévisage comme s'il n'aurait jamais pensé en un million d'années que ça marcherait, mais… il gonfle quand même un peu les pecs.

Je me retourne vers Shelli.

Elle est dans une espèce de catalepsie. Je lui fais signe. Même si elle a envie de se mettre en pétard, je sais qu'elle n'y arrivera pas. Il y a une partie d'elle-même, aussi petite soit-elle, qui adore plus ou moins ça. Les grandes émotions !

Logan me tend son casque et démarre plein pot au détour de la rue. Si je vous disais combien de fois ma mère m'a fait la leçon pour que je ne monte pas à l'arrière d'une moto – ce qui s'applique aussi, j'imagine, à un scooter –, vous penseriez que je suis la pire des filles au monde de ne pas y avoir réfléchi à deux fois. Mais alors vous oublieriez que primo, il fait froid, deuzio, on est presque à trois bornes de chez moi, et tertio, Logan semble s'être transformé du jour au lendemain en Marlon Brando dans ce vieux film en noir et blanc, *Sur les quais*, avec sa drôle de bouche, quand il dit : « J'aurais pu être un concurrent ! J'aurais pu être quelqu'un ! » Ou dans *Un tramway nommé désir*, quand il n'arrête pas de brailler : « Stella ! Stella ! »

Vous avez déjà fendu l'air en volant avec une facilité décon-
certante ? Vous avez déjà vu les arbres, le vent, les maisons et
tous les bruits du monde filer à toute allure en passant à côté
et au-dessus de vous, au point que vous pourriez décoller vers
le soleil couchant, et peut-être même au-delà ? Vous montez,
vous montez dans le ciel orangé et vous quittez cette terre
débile où tout-le-monde-parle-en-même-temps ? Bref, voilà
à quoi ressemble le trajet de retour en scooter avec Logan.
On fonce, on vole, on tourne, on virevolte, on contourne, on
passe en trombe devant les choses et les gens qui comptent et
qui ne comptent pas. Ma mère avait raison de me dire de ne
pas monter sur un de ces engins. Je suis scotchée.
Pauvre maman. Elle aura essayé.
Au moment où on arrive chez moi, le soleil plonge dans les
arbres et tout devient orange, orange, orange. Logan s'arrête
environ deux rues plus haut que ma maison, si bien que ma
mère ne me privera pas de sorties jusqu'à la fac. Si mes sœurs
débiles étaient là, elles me tortureraient pour le restant de
mes jours et me traiteraient de salope. Surtout parce que,
vous savez bien, ce qui est valable pour l'une est valable pour
l'autre, tout ça, quoi.

Je descends du scooter de Logan et m'attends qu'il redémarre pour filer vers le crépuscule, mais il met lui aussi pied à terre.

– Je te raccompagne à la porte ?

– Quoi ? NON !

– Pourquoi pas ?

– Tu rigoles ? Mes frangines vont te prendre en embuscade.

– T'as des sœurs ?

– Aaargh. Oui. Deux. Et super énervantes.

– J'ai deux petits frères. Mais il sont plutôt mignons, en fait.

– Oh, j'ai deux frères aussi. Plus âgés. Pas si mauvais non plus. Au moins, ils me laissent tranquille.

– Tes sœurs sont peut-être simplement jalouses. Tu t'en doutes, non ?

– J'en sais rien. J'aimerais juste qu'elles m'ignorent, par exemple.

Les rayons du soleil filtrent au travers des arbres et je suis terrifiée à l'idée que quelqu'un puisse me voir. Peut-être Stacy Nolan. Pour le coup, ce serait un prêté pour un rendu.

– Tu sais ce que je pense ?

Il affiche un petit sourire narquois maintenant. Je devrais me dépêcher de rentrer, mais quelque chose oblige mes pieds à ne pas suivre l'ordre de mon cerveau.

– Je pense que c'est difficile de t'ignorer.

– Pff… C'est censé vouloir dire quoi ?

– Je pense que tu es belle.

– Je ne te crois pas.

Il sourit et je suis à deux doigts d'obéir à l'ordre de mon cerveau et de me tirer, mais quelque chose se produit. Quelque chose qui n'est pas supposé arriver et n'est pas la raison pour laquelle je suis montée sur ce scooter. Absolument pas.

– Je vais t'embrasser, et ça va te plaire.

Et il le fait. Et ça me plaît.

!!!

Là, à deux pâtés de maisons de chez moi, Logan McDonough est officiellement le premier garçon qui m'a embrassée (oui, je sais, une peu retardée, la nana) et je ne sais pas au juste comment c'est censé se passer, même si j'ai vu beaucoup de films qui pourraient me servir de référence. Mais tout ça n'a aucune importance maintenant, parce que, pour l'essentiel, je suis en train de vivre une expérience extracorporelle où je n'arrive pas à croire, je n'arrive pas à croire ce qui se passe, mais je ne peux pas m'arrêter, je ne veux pas m'arrêter, pas question, absolument pas.

J'ai pas le temps de dire ouf, de savoir si je suis en haut ou en bas ou en quelle année… que Logan recule et me sourit comme s'il savait tout ça depuis le début, et était ravi que je le sache moi aussi à présent. Il enfile son casque comme un chapeau de cow-boy.

– Bonne chevauchée…

Et maintenant le casque est de nouveau sur sa tête, le scooter a redémarré, et Logan a déjà parcouru la moitié de la rue, et je reste plantée là et je me demande ce qui a bien pu se passer à l'instant. J'ai peut-être à peine quinze ans et je ne sais pas grand-chose, autant dire que je ne sais rien, mais en tout cas, je sais une chose…

Je cours vers de gros ennuis.

12

Je pédale vite, vite, vite, c'est maintenant. C'est le ciel qui passe du noir au violet, puis au rose, et maintenant le soleil se lève et je ne suis pas encore assez rapide. Pas assez rapide pour tout changer.

Je pédale vite, vite, vite, c'est le soleil qui se lève à travers les arbres et il n'y a personne, personne dans les rues, personne sur les trottoirs, personne à part moi et la lumière qui se reflète sur la chaussée. Personne à des kilomètres à la ronde, tout l'univers retient son souffle en silence, mais il y a dans ma tête un millier de voix, un chœur, un orchestre, un stade entier.

Je pédale vite, vite, vite, c'est maintenant et il doit exister un moyen de changer tout ça, il doit exister un moyen pour que la Terre s'arrête de tourner, il doit exister un moyen.

13

– Je voulais juste que vous sachiez que j'ai embauché une fille noire. N'ayez pas peur.

C'est la fin de l'après-midi au Bunza Hut et M. Baum lâche la nouvelle comme s'il nous disait que l'Enlèvement des chrétiens avait commencé.

Shelli et moi nous tenons en silence près de la fontaine à sodas.

– Pourquoi on aurait peur ?

Aucune réaction.

– Qu'est-ce qu'elle va faire, nous manger ?

M. Baum, comme tous les autres adultes de ma connaissance, même les gens intelligents, a l'air de penser que ce genre de chose fait toute la différence. C'est tordu. Et impossible de leur faire entendre raison, parce que c'est comme si c'était important à leurs yeux d'avoir de l'emprise sur quelque chose. Ou sur *quelqu'un*.

En général, ça tombe sur un truc ridicule, dont Shelli et moi on rigole ensuite autour d'un chocolat chaud. Sauf quand c'est pas marrant. Sauf, par exemple, quand ça se passe à Omaha et que ça concerne un gamin venu de l'autre bout du monde qui parlait à peine anglais et a été transféré ici grâce à je ne sais quel programme pour réfugiés, où personne n'a vraiment réfléchi, j'imagine. Bref, il était en classe à Omaha Northeast depuis deux jours quand il s'est fait tabasser grave, au point d'avoir quasiment tous les os fracturés. Quand il s'est rétabli, on l'a transféré de cet État de beaufs blancs pour le ramener quelque part sur la côte Est. Incroyables, les images qu'ils ont diffusées aux infos. Le visage violacé, et ces yeux ! Bon sang, c'était le pire. Plonger le regard dans ces yeux. Comme s'ils posaient simplement la question : « Pourquoi moi ? » au-dessus de chaque paupière. Ça vous donnait la chair de poule.

C'est pour ça que je dois éviter de la ramener sur mes origines métissées. Ce que je peux faire, grâce à Becky Vilhauer. Elle est douée pour ça. Elle me protège et m'évite de me faire cracher dessus tous les jours dans le couloir. Ou pire. D'avoir le visage violacé avec « Pourquoi moi ? » écrit sur chaque orbite.

Mais là, maintenant, c'est l'élève qui se fait *vraiment* cracher dessus tous les jours au bahut qui entre au Bunza avec sa mère, son père et sa petite sœur.

Joël Soren. Il est plutôt sympa, et rien qu'en le regardant, c'est difficile de dire pourquoi lui, en particulier, a été repéré pour subir une pareille brimade quotidienne.

Ça a commencé par Becky, bien sûr. Toute cette histoire était tellement débile. Elle lui a demandé un morceau d'Hubba Bubba, parfum pastèque. Joël n'en avait plus qu'un et le donnait à ce moment-là à une pom-pom girl. Genre il était précisément en train de tendre le dernier bout de chewing-gum à la fille, quand Becky le lui a demandé.

Joel a donc ignoré Becky.

Et ne lui a pas donné son chewing-gum.

Alors Joël a dû payer pour cet affront.

Il le paie par ses bouquins arrachés des mains et balancés par terre. Il le paie par des croche-pieds dans le couloir. Il le paie en ayant son casier tagué chaque semaine de « Pauvre type », « Super gay » ou « Tarlouze ». Il n'est même pas gay. Et de toute manière, peu importe. Ils écrivent ça, c'est tout. Les footeux. Becky ne s'en préoccupe même pas. Tout ça suit son cours sans elle, et Joël est juste le punching-ball du bahut pour la seule et unique raison qu'il ne lui a pas filé un Hubba Bubba à cinq cents.

La leçon ne m'a pas échappé.

Shelli me donne un coup de coude quand Joël et sa famille s'approchent de la caisse. Je jure qu'elle a dû encaisser à peine trois clients depuis les huit mois qu'on travaille ici. Pour être honnête, elle a peut-être peur de la caisse. Ou alors elle ne sait pas faire une addition. Elle *est* chrétienne. Je ne pense pas que les chrétiens croient aux maths.

— Trois numéros 3, avec des frites, et un menu enfant pour la petite.

Je regarde par-dessus le comptoir la petite sœur de Joël Soren. Une blondinette de trois ans avec de grands yeux bleus et une tétine rose géante.

— Elle est mignonne comme tout. Elle s'appelle comment ?

— Violet.

— Ooooh… Quel joli prénom !

Joël Soren ne me regarde même pas. Il se cache derrière ses parents, fait mine de contempler la porte vitrée, qui est à peu près aussi intéressante qu'un bloc de ciment. J'ai de la peine pour lui. Est-ce qu'il pense que je vais moi aussi lui cracher dessus ? Que je participe aussi à cette humiliation permanente ?

C'est le cas ?

— Eh bien, merci. Oh… trois Coca, s'il vous plaît.

– Bien, monsieur. Cela fera neuf dollars et cinquante cents.

Shelli se tient en retrait à la machine à glaces, tandis que les Soren détalent vers leurs places, une vraie cellule familiale.

– Tu ne te sens pas mal pour lui ? je demande à Shelli.

– Si, un peu, murmure-t-elle.

– Ça ne te paraît pas genre… injuste, je veux dire ?

M. Baum passe la tête par-derrière.

– C'est prêt !

Le père de Joël revient au comptoir récupérer la commande. On n'est pas chez Sizzler ou ailleurs, voyez. Chez Bunza Hut, on prend soi-même sa commande.

Shelli vérifie sa coiffure dans le reflet de la machine à glaces. Je contemple la nuque de Joël.

– Je vais aller à leur table.

– Pourquoi ?

– J'en sais rien. Je me sens mal, c'est tout. Et regarde-le. Il est mort de honte !

– Ouais, mais qu'est-ce que tu vas dire ?

– Aucune idée.

– T'es trop tordue.

– La ferme.

Shelli fait mine de me coller une claque.

– Arrête de me draguer sur le lieu de travail. *Lesbo*.

– Hin-hin… *Lèche-bottes*…

Franchement, Shelli a cinq ans d'âge mental parfois. Mais je préfère me retrouver coincée avec elle n'importe quel jour de la semaine qu'avec Becky Vilhauer.

Je m'approche de la cellule familiale, qui prend son dîner en famille au Bunza Hut un jeudi soir, et Joël Soren donne l'impression d'avoir envie de ramper sous la table et de se transformer en cafard.

– Tout se passe bien ?

– Oui, merci.

C'est le père qui répond. L'homme de la maison.

J'essaye de croiser le regard de Joël. Lui sourire ou je sais pas quoi.

– Je vous ressers en boissons ?

– Oh, non merci.

– Un peu de ketchup, peut-être ? Vous voulez du ketchup ?

– Hmm… Non. C'est bien comme ça, merci.

– De la moutarde ?

– Je pense que nous avons tous les condiments qu'il nous faut, merci.

– OK, très bien. Bon appétit à tous, et merci d'être venus chez Bunza Hut !

Mouais, peut-être que ça n'a pas si bien marché. Je crois que j'ai juste agacé le père.

Écoutez, j'essayais simplement de faire en sorte que Joël Soren se sente dans la peau d'un être humain, pour une fois. Je veux dire, vous imaginez ce que c'est que d'aller au bahut tous les jours et de se faire bousculer, d'avoir ses bouquins balancés par terre, systématiquement ?

Bon sang. Becky ne contrôle même plus le truc. C'est vous dire la puissance de la nana. Elle a juste commencé la boule de neige. Et maintenant, c'est une avalanche. Avec le pauvre Joël Soren enseveli dessous.

14

Mes parents sont absolument persuadés qu'il est impossible de sortir en douce de ma chambre. Faux ! Je peux comprendre pourquoi. Si quelqu'un d'autre, et pas un génie criminel comme moi, vivait dans cette forteresse, ce serait en effet impossible. Seulement, voilà : j'ai choisi cette chambre parce que faire le mur *semblait* impossible. Dans un deuxième temps. Mais dans un premier temps, j'avais compris que c'était possible, en fait.

En tout cas, ce soir ce sera facile, vu que ce qui préoccupe tout le monde, c'est ce truc dingue qui s'est passé en Oklahoma. Un mec a découvert que sa femme se tapait son patron au Kmart[1]. Rien d'extraordinaire, je sais. Sauf que le mec n'a rien trouvé de mieux que d'aller au Kmart, d'abattre le patron, la femme et même tous les gens qui traînaient dans le coin et n'avaient rien à voir dans l'histoire.

En tout, six personnes mortes, dont le mec. Cette affaire n'arrête pas de faire flipper ma mère. Sauf qu'elle est à côté de la plaque, parce que si elle faisait le rapprochement, elle découvrirait que primo, ce mec était d'Oklahoma.

---

1. Chaîne de supermarchés discount.

Deuzio : c'est à deux États d'ici. Et tertio, il n'y a même pas de Kmart à Lincoln. Le plus proche se situe à Omaha. Donc, à la base, si elle réfléchissait deux secondes, elle respirerait déjà mieux en sachant que ce genre de trucs ne se produit pas par ici.

J'ai pas arrêté de le lui répéter toute la soirée, mais elle n'en démord pas. Enfin quoi, elle regardait les infos comme si c'était un film catastrophe genre *Hindenburg* ou je sais pas quoi.

Ce qui, en définitive, est bon pour moi. Et pour mon plan diabolique en vue de faire le mur !

Voilà comment ça marche. La chambre se trouve au premier, il y a deux fenêtres, chacune formant deux longs rectangles d'une cinquantaine de centimètres de haut. Ajoutez à ça que les fenêtres s'ouvrent au milieu… mais là, on parle d'un espace d'un peu plus de vingt centimètres. Ah oui, j'oubliais… il n'y a aucun point d'appui. Même si vous vous débrouillez pour vous glisser comme par magie à travers ce minuscule espace… vous êtes censé faire quoi de l'autre côté, vous envoler ?

Sauf que… Il y a toujours un « sauf que ». Dehors, il se trouve qu'un chêne tend sa branche à environ soixante centimètres de la fenêtre.

Bon, alors voilà comment procéder : vous dites à vos parents que vous voulez vous coucher tôt, afin de pouvoir bien dormir avant cette grosse interro de demain, qui n'existe pas, bien sûr. Ils vous sourient et se tapent mutuellement dans le dos en songeant que vous êtes décidément une fille bien et qu'ils vous ont vraiment bien élevée.

Ensuite, vous attendez. À un moment donné, ils iront dans leur chambre, à l'autre bout du couloir. La télé risque de rester allumée, mais ça ne veut rien dire. Ce truc pourrait rester comme ça toute la nuit et jusqu'en l'an 3000, croyez-moi.

Une fois leur porte fermée depuis une quinzaine de minutes, vous enfilez n'importe quelle fringue qu'ils ne vous laisseraient pas porter si vous quittiez la maison par la porte d'entrée. Sauf vos chaussures. Vous devez les jeter dehors. Vous allez avoir besoin de vos pieds. Croyez-moi.

Vous ouvrez donc la fenêtre, lancez vos chaussures dehors, puis vous prenez une grande inspiration et vous soufflez. Vous devez vous faire la plus mince possible pour passer au travers de cette ouverture.

Bon, vous posez les pieds sur le lit et tendez les bras par la fenêtre, si bien que vous êtes quasiment dans la posture de Superman, parallèle au sol.

Maintenant, vous vous étirez au maximum et attrapez la branche de l'arbre. N'ayez pas peur. Saisissez-la, c'est tout. Oui, je sais c'est bizarre d'être dans la posture de Superman, tendue comme un élastique géant par la fenêtre, et de s'agripper à une branche d'arbre, mais ça marche. OK, à présent tâchez d'avoir la branche bien en main et vous tirez, tirez, tirez jusqu'à que vous soyez quasiment extraite de la fenêtre. Bien. Maintenant, c'est le plus difficile. C'est « le mouvement ». En gros, il faut utiliser l'élan donné par l'oscillation de vos jambes qui sortent de la fenêtre pour poser les pieds sur la branche inférieure la plus proche, afin de vous y cramponner comme un singe. Si vous ratez cette étape, vous tombez. Et vous risquez de mourir. Remarquez, c'est pas très grave, parce que au moins vous n'aurez pas à passer vos tests d'entrée en fac.

Une fois que vous avez effectué ce dernier mouvement de singe, vous êtes tirée d'affaire. Il ne vous reste plus qu'à descendre de l'arbre, et voilà ! À terre, vous passez devant la chambre de vos pénibles frangines qui doivent flirter au téléphone avec des mecs qui veulent juste se glisser sous leur culotte ; vous passez devant la chambre de vos frangins, où Robby doit regarder le sport sur sa minitélé et où Henry est sans doute plongé dans son manuel de chimie, parce que s'il n'entre pas à Harvard, il en mourra.

M'enfin, vous vous moquez de tout ça, puisque dehors c'est la liberté !

OK, j'admets que je vais retrouver Logan ce soir. Ne le répétez pas. Shelli se doute bien que je trame un truc, parce que ces balades en scoot du bahut à chez moi sont de plus en plus fréquentes et, pour ne rien vous cacher, de plus en plus super géniales. Maintenant qu'on est vraiment en automne et qu'une fois le soleil couché on commence à se geler les miches, ces trajets en scooter, c'est vraiment le must.

On ne passe pas notre temps à se rouler des pelles, alors calmez-vous, bande d'obsédés ! C'est plutôt genre… il déboule sur la route, me prend au passage, et j'ai pas le temps de réagir qu'on a déjà franchi la colline et on file à travers le lotissement aux maisons toutes pareilles, et le monde nous appartient, mais on n'a pas besoin d'en parler. En fait on n'a pas besoin de parler de quoi que ce soit. Et puis il me passe toutes sortes de drôles de petits messages, discrètement dans les couloirs, entre deux sonneries de cours, mais on ne dit rien, là non plus. En fait, il y a un max de non-dits dans notre relation. Comme si on était des espions.

Le fait est que Logan est bien plus futé que tous ces abrutis de l'équipe de foot avec leurs cous de taureaux. Surtout Chip Rider, celui dont tout le monde n'arrête pas de dire que je vais mourir si je ne l'aime pas en retour. Quel naze ! Il pense que Tchekhov est un personnage de *Star Trek*. Je veux dire, c'est comme si vous lui disiez : « Le Tchekhov auquel tu penses, celui de *Star Trek*, tu sais ? Eh bien, ce mec porte le nom d'un Tchekhov bien plus important, un dramaturge super célèbre, genre le Shakespeare de Russie, quoi. » Si vous lui disiez ça, il vous regarderait juste d'un air ahuri et ses dents se mettraient à tomber.

Pendant ce temps, Logan a sans doute écrit cinq pièces en secret qui sont évidemment magnifiques, mais personne ne le sait parce qu'elles sont planquées là, dans son classeur.

Bon, comme vous faites une fixette sur le baiser, sachez, pour la petite histoire, que Logan embrasse super bien. C'est sûr que je n'ai pas embrassé beaucoup de mecs. Et par « beaucoup de mecs », je veux dire « personne ». Mais j'ai vu pas mal de films et je pense que j'ai grosso modo pigé le truc. Bon, je me trompe peut-être, mais je pense qu'il y a une corrélation directe entre le fait d'apprécier quelqu'un et la manière dont il embrasse.

Par exemple, si Chip Rider était la star du baiser de tout l'univers, le champion du monde cinq fois de suite, et qu'il m'embrassait… je parie que j'aimerais pas autant ça que j'aime embrasser Logan. Vous voyez ? C'est ma théorie, en tout cas. Je ne l'ai pas vraiment testée, remarquez. Et je ne peux pas demander à Shelli parce que, pour commencer, elle se tape tout ce qui bouge, et ensuite, elle comprendra que Logan représente plus qu'un partage de scooter. Becky, c'est hors de question, pour des raisons évidentes. Et, bien sûr, je ne peux pas demander à mes ignobles sœurs parce qu'elles ne feraient que me harceler, se moquer de moi, avant de me clouer au sol pour me cracher dessus. Je sais. Elles craignent un max.

Henry ne saurait pas me répondre non plus, parce que la seule fille qu'il ait jamais pelotée, c'est la princesse Leia dans ses rêves et, éventuellement, les top models sur son numéro « spécial maillots de bain » de *Sports Illustrated*. Robby, en revanche, a sans doute embrassé quelques filles, mais je suis quasi certaine qu'il ne pourrait m'apporter aucune info utile sur le sujet, vu que c'est un garçon, et moi une fille. Il me dirait sans doute un truc à la con, genre : « Ouais, ça te fout la trique. »

En tout cas, il fait drôlement froid dehors. Il n'a pas encore neigé, mais ce soir la pelouse est couverte de gelée et on voit notre haleine qui fait de la vapeur. Rien de tout ça ne m'a empêchée de porter une tenue absolument pas adaptée. Eh oui, c'est une minijupe. Mais je suis habituée au froid et je porte un collant, de toute manière. En plus, j'ai des chaussettes thermiques sous mes bottes, si bien qu'au moment de retrouver Logan je ne serai qu'à moitié morte de froid.

Il dit qu'il a une surprise pour moi et je sais que c'est le genre de truc que disent les tueurs en série avant de vous coller dans un trou, quelque part dans leur cave, et de se mettre à vous habiller comme leur mère pour vous étrangler. Mais bon, si on considère qu'on a fait plus de trente balades en scooter lui et moi, et que pas une seule fois il m'a demandé s'il pouvait me scalper et se servir ensuite de mon cuir chevelu en guise de perruque, je pense que j'ai rien à craindre.

En outre, ce soir, c'est un de ces soirs où j'aimerais vraiment me rebeller contre l'autorité. Et par « l'autorité », je veux parler de mon père, le comte Dracula-bis. Vous voyez, mon père est en pétard parce que j'ai eu un B en EPS. Mais je vais vous dire pourquoi. Chaque fois qu'on doit faire un truc hyper dur comme une course de six cents mètres, grimper à la corde ou sauter par-dessus un gratte-ciel en un seul bond genre Superman, chaque fois, j'y coupe pas, j'ai mes règles. Et c'est même pas un petit jour comme le quatrième ou le cinquième, non, ça tombe le premier ou le deuxième, quand on pourrait presque vous emmener aux urgences.

70

Enfin quoi, qui a envie de se taper un six cents mètres quand il se vide quasiment de son sang et qu'il a l'impression que tout le monde lui colle des coups de poing dans le dos ? Et la corde ? On oublie tout de suite. Non, mais vous imaginez ? Je me souviens de cette fille en quatrième, Carla Lott, qui a eu ses règles pour la première fois dans un short blanc et il y avait des fuites, et tout le monde l'a su. Tout le monde ! Depuis ce jour, elle est devenue Carla Ragnagna ! Ça fait *des années*.

Et puis je vais vous dire un truc. Toutes les filles, toutes les filles que vous avez jamais rencontrées ont la trouille, LA TROUILLE, que ça leur arrive. Toutes, je vous dis. Même Becky. C'est pas juste. Les mecs n'ont pas ce genre de problème. Je veux dire, s'il existait une justice dans ce monde, on ne devrait même pas être obligées d'aller en cours pendant nos règles. On resterait simplement chez nous pendant cinq jours à se bourrer de chocolat et à chialer.

Bref, ce qui va se passer, c'est que le comte Dracula-bis va appeler d'un jour à l'autre, super tôt, genre à 6 heures du mat', et m'expliquer qu'il vaut mieux avoir des A que des B et que si je veux me tirer de ce bled paumé et aller dans une bonne université de la côte Est, il faut que je cumule des A partout, sans exception, pas d'excuse possible. Sinon, ben je deviendrai évidemment une parfaite ratée, qui vit pieds nus et enceinte, mariée à un mec quelconque appelé Cletus, au milieu de nulle part, avec tous mes rêves et mes espoirs envolés en fumée.

Comme ma mère.

Il ne parlera pas d'elle, mais c'est dans le sous-texte. Croyez-moi.

Alors ce soir, c'est le moment de dire que j'en ai rien à foutre.

Je me trouve à environ deux pâtés de maisons du lac Holmes quand j'aperçois Logan, garé sur son scooter derrière un saule pleureur. Comme il ne me voit pas encore, j'en profite pour bien le regarder et décider s'il me plaît toujours ou pas, même si quelqu'un découvre qu'on vit une passion torride et que je sois rejetée, blacklistée, bannie.

J'essaye à mort de ne pas l'aimer. Ce serait tellement plus facile s'il ne me plaisait pas.

Malheureusement, il ne me facilite pas la tâche parce qu'il est assis là avec ses cheveux châtain foncé, et il me fait penser à un ange déchu sublime mais un peu crade, et coriace, mais aussi désespéré et sincère, mais aussi sur ses gardes ou quelque chose comme ça. Je veux dire, il pourrait presque avoir sa propre musique de générique. Un truc sombre. Avec des tas de claviers. Et un peu de violon.

Argh !

Pourquoi il ne peut pas être juste un pauvre mec ?

Je m'avance vers lui et ses yeux croisent mon regard.

– Prête pour une soirée à la super spécificité spontanée ?

C'est l'autre truc qui m'attire irrésistiblement chez Logan. Il ne dit jamais rien comme les autres, ou peut-être même qu'il ne pense pas comme les autres. Genre, si c'était Chip Rider, j'aurais droit à : « Waouh, t'es trop sexy ! » Mais bon, c'est Logan qui se tient là, debout dans toute sa splendeur incomprise et compliquée, avec ses tournures de phrase trop cool et ses pensées encore plus cool.

Je peux vraiment pas résister.

Je saute à l'arrière de son scoot, et hop ! on file en passant devant le lac Holmes et on fonce vers le sud, le sud, le sud, on dépasse la périphérie et on entre dans ce monde miniature bizarre de maisons flambant neuves ou presque et à moitié construites. Il y a un embranchement avec un panneau en lettres cursives, comme sur une bouteille de vin, qui annonce : HOLLOW VALLEY. On suit cette direction et dans ce lotissement les maisons sont trois fois plus grandes que celles de ma rue. Plus imposantes même que la demeure de Sheridan Boulevard où le maire habitait dans le temps.

Ces maisons sont genre neuves, mais se donnent un mal fou pour avoir l'air anciennes avec un max de tourelles, des fenêtres cintrées, du fer forgé et des tas de trucs. Mais on dirait aussi qu'on peut les renverser comme un décor de ciné ou quelque chose du genre.

Elle sont toutes à moitié construites ou presque terminées, ou alors il y a juste les fondations, mais là, au bout d'une rue appelée Glenmanor Way, se dresse une monstruosité sur trois niveaux, prête à être filmée en gros plan.

Et c'est là que l'on va.

Logan se gare dans l'allée, n'essaye même pas de se cacher ou quoi que ce soit, coupe le moteur et descend.

– Ce qu'on est bien chez soi.

– Tu rigoles, non ?

– Plus ou moins.

Il remonte le chemin dallé vers la porte géante à deux battants et se met à fouiller dans ses poches, avec une grimace.

– C'est le nouveau truc de mon père. Son dernier investissement. La maison témoin.

– La maison témoin ?

Il extirpe enfin la clé de sa poche et on se retrouve maintenant dans un imposant hall d'entrée en faux marbre, entièrement décoré de fausses plantes et tout le bazar.

– C'est comme une maquette grandeur nature, explique-t-il. Quand ils lanceront la vente des autres maisons, les gens pourront se balader en poussant des « Oooh » et des « Aaah » jusqu'à ce qu'ils signent le chèque et fassent péter le champagne.

Même si c'est cent pour cent super toc ici, je dois admettre que c'est joli. Tellement joli que ma mère se mettrait sans doute à flipper, à se cogner aux meubles ou un truc du genre. Il y a même des fausses grappes de raisin dans un saladier et une fausse bouteille de champ' dans de la glace.

Logan me surprend à la regarder et lit dans mes pensées.

– Il y a de la bière au frigo, parce que mon père aime bien détendre les clients s'il sent des ondes positives. Surtout les mecs. Pour une *discussion entre hommes*, tu sais.

Au cœur de la maison, il y a une pièce gigantesque qu'on peut voir depuis une balustrade au premier, et une cheminée avec des fausses plantes de chaque côté.

– Et voilà le plus beau.

Il tend la main vers la cheminée, et hop ! un feu s'allume automatiquement dans l'âtre.

– Waouh. Trop cool !

– Ouais, je pense que c'est l'un des meilleurs arguments de vente.

Il me tend une bière, une canette verte allemande avec une étiquette blanche.

Logan m'explique :

– Mon père aime bien que ça reste classe.

J'attrape la canette et on trinque.

– Ton père est… genre… classe ?

Logan recrache illico sa bière sur le tapis. Difficile de ne pas rire.

– Waouh. Un vrai crachat de cinoche.

Il s'essuie le menton.

– Mon père est tout sauf classe. Un peu comme un vendeur de bagnoles d'occase en costume chic.

– Argh. C'est pas gentil.

– Il n'est *pas* gentil.

Silence.

– Il aime bien aller à ses prétendues « parties de pêche » et se taper tout ce qui bouge, puis revenir avec un bibelot débile genre colvert, et il espère qu'on va tous y croire.

– Ah bon ?

– Eh ouais.

– Ça craint.

– Je sais. Et ma mère avale tout sans broncher. Idem pour mes petits frères. C'est tellement minable.

– Ben… comment tu sais tout ça ?

– Si je te le dis, ça va te dégoûter à mort.

– OK. Bon, maintenant va falloir que tu me l'avoues.

On est assis sur le canapé témoin en espèce de similidaim en forme de L, en contrebas de la cheminée.

– OK. Un jour, il m'annonce comme ça qu'il a envie d'aller à la pêche *avec moi*. Genre, tu vois, une sortie père-fils, alors on va ensemble à Madison, dans le Wisconsin, pour cette grande sortie censée nous *rapprocher*.

– Et ?

– OK. Le premier jour, on monte dans le bateau et il me dit un truc genre : « Il y a quelqu'un que j'ai envie de te présenter. » J'ai pas le temps de réagir que je vois cette petite bimbo derrière lui qui grimpe à bord. En talons. Des talons en bateau !

Note à moi-même : prévoir des chaussures adéquates pour faire du bateau.

– T'es sérieux ?

– Ouais.

– Enfin, quoi… Il n'a pas pensé que son infidélité te dérangerait ?

– J'imagine que non.

– Il n'a pas pensé que tu pourrais te *soucier de ta mère* ?

– Ben non. C'était genre « on est juste entre hommes » ou un truc comme ça.

– C'est tellement dégueu.

– Je te l'avais dit.

Je me tais. Ça m'a coupé la chique.

– Quel con !

– Je sais.

– T'en as parlé à ta mère ?

Logan pousse un soupir et boit une petite gorgée de bière.

– Non. Je suis nul. J'arrive pas. Je sais pas quoi dire. Ça va la détruire, tu sais ?

– Vraiment ?

– Ouais, elle est genre vraiment fragile et un peu amoureuse de lui, et il lui fait peur en un sens.

Nouveau silence, et maintenant tout ça est logique : le scooter tout neuf, la nouvelle garde-robe. Tout ce qui est neuf chez Logan, ça vient de son père.

Il l'achète, en fait.

Un truc que Logan a dit a du mal à passer.

– Pourquoi elle a peur de lui, d'après toi ?

– J'en sais trop rien.

Il reste muet un moment.

– Il est juste un peu zarbi, tu sais, genre il ne tient pas vraiment en place, par exemple. Ou bien on ne peut pas sortir dîner quelque part sans qu'il regarde la salle un millier de fois. Et il n'arrête pas de se vanter. Des choses qu'il achète à ma mère. Des endroits où on va dîner. Genre on devrait tous lui être reconnaissants. Et quand on se met pas à quatre pattes pour lui lécher le cul, il devient genre… je sais pas.

Logan et moi restons assis là à contempler le feu pendant une minute. J'imagine qu'on a tous les deux des pères merdiques. Peut-être que c'est le cas de tout le monde. Ce serait déjà quelque chose. Peut-être que les mères célibataires, qui rendent tout le monde fou de rage, ont des circonstances atténuantes.

Je pense à ma mère, avec cet ogre qui ronfle dans le lit à côté d'elle, et j'en frissonne. Sérieux.

Mais au moins il couche pas à droite et à gauche. Si l'ogre trompe ma mère, c'est uniquement avec ses frites.

– Tu sais, Anika… Si ça te fait trop bizarre d'être ici, je peux piger. On dirait une espèce de fausse maison ou je sais pas quoi. En fait, c'est carrément ça. Des gens pourraient peut-être trouver ça un peu… flippant ?

– Non. Non, c'est pas flippant. Je suis contente qu'on soit là.

– Vraiment ?

– Ouais. Je veux dire, j'ai fait le mur, non ?

On sirote tous les deux nos bières et on regarde le feu de cheminée.

Silence.

– T'es la plus jolie fille que j'aie jamais vue de ma vie.

Il lâche ça comme ça. Je peux pas m'empêcher de m'étrangler. Il se cache alors le visage avec ses mains.

– Bon sang, j'en reviens pas d'avoir dit ça. C'est tellement naze. T'en va pas, s'il te plaît.

Je me ressaisis.

– Pff… Quoi ? Pourquoi je m'en irais ? dis-je en agitant ma canette à moitié vide sous son nez. Enfin quoi, je pense que c'est le meilleur bar de la ville. Et en tout cas le moins cher.

Il sourit.

– Exact.

– En plus, c'est… Personne ne m'a jamais dit un truc comme ça avant.

– Arrête.

Je hausse les épaules.

– Je te crois pas.

– Ben, c'est vrai. Quoi… tu penses que les gens passent leur temps à dire aux autres qu'ils les trouvent beaux ?

– Pas aux autres. *À toi.* Je pense que les gens doivent te dire ça tous les jours.

– Hmm… Ben non. Ils le disent à Becky…

– C'est une pouf.

– Waouh !

– C'est vrai.

Difficile de ne pas sourire. C'est un tel sacrilège.

– Allez, quoi, tu ne crois pas que ta chère amie Becky est le numéro 1 des prédateurs sous camouflage ? Je veux dire, c'est une sociopathe totale.

– Hmm… Je pense que je vais utiliser mon joker.

– Elle l'est. Tu le sais bien.

On sourit tous les deux maintenant.

– Allez, admets-le.

– Jamais.

Il y a un truc dans l'atmosphère entre nous. Comme un tour de magie.

– Bon… je suppose que je devrais te ramener chez toi, maintenant.

– Quoi ?

– Je devrais te ramener chez toi. Je ne veux pas que t'aies des ennuis.

– Tu ne vas pas essayer de m'agresser ou un truc du genre ?

– Quoi ? Non ! T'es cinglée, tu le sais, hein ?

– Je croyais juste être un peu drôle.

– Drôle ?

– OK. OK. J'allais pas te laisser faire, de toute manière.

– Ben, c'est pas la définition du mot « agression » ?

– Oublie juste que je l'ai dit, espèce de malade.

– C'est toi, la malade.

– Non, c'est pas vrai.

– Oh si. C'est toi, la malade du sexe.

Il reçoit un coussin du canapé témoin en pleine figure. Et bien sûr, il me le renvoie.

J'ai pas envie de remonter sur son scooter et de rentrer chez moi. J'ai pas envie de franchir ces gigantesques portes témoins. J'ai pas envie de faire quoi que ce soit qui puisse bousculer le plus minuscule atome dans cette pièce. J'ai juste envie *de ça, de ça, de ça.*

15

– Anika, Shelli, j'aimerais vous présenter Tiffany.

Et il murmure :

– La fille *noire*.

Shelli et moi sommes là, près de la machine à glaces du Bunza Hut, tandis que la pauvre Tiffany, maigrichonne et incroyablement timide, suit M. Baum jusqu'au comptoir.

– Salut.

– Salut.

M. Baum arbore un sourire artificiel ridicule. Il a franchement l'air dérangé. Comme je ne sais pas quoi dire d'autre, je dis :

– Tu portes cet uniforme carrément mieux que moi.

Mais c'est vrai. Un polo jaune et un short vert pomme, c'est pas facile à porter. Inutile de me voiler la face, j'ai l'air d'une cannette de 7UP. Mais cette fille ? Ça lui va comme un gant.

– Oh… merci.

Comme un gant d'une timidité pas possible. Ça fait peine à voir.

– Eh bien, Anika, je compte sur toi pour lui montrer les ficelles du métier !

– Oui, monsieur Baum.

Bien sûr, il ne regarde même pas Shelli. J'imagine qu'elle ne montrera aucune ficelle à quiconque avant longtemps.

– Anika, j'aurais deux mots à te dire en privé, tu veux bien ?

– Hmm… OK.

M. Baum me pousse vers le bureau… qui ressemble davantage à un placard avec des Post-it partout. L'endroit idéal pour se faire violer.

– Anika, je sais que cette situation ne doit sans doute pas t'enchanter. Pour des raisons évidentes.

– Ah bon ? Lesquelles ?

– Tu sais bien.

– Quoi donc ?

– Parce que…

– Parce que quoi ?

– Parce que c'est une… négresse.

– Une *négresse* ?

– Oui, Anika. Et j'ai besoin que tu veilles à ce qu'elle comprenne… les concepts.

– Les concepts ?

– Oui.

– Euh, par exemple, si on prend un *combo special*, c'est cinquante cents moins cher ?

– Waouh. Hmm…

– Écoute, j'ai besoin de quelqu'un d'intelligent au comptoir. Tu es première de ta classe et…

– C'est un hasard. J'obtiens toujours des A, sinon mon père refusera de m'aimer.

– C'est vrai, Anika ?

– Tout à fait.

– Eh bien, j'aimerais lui parler un de ces jours…

– Il faudra alors appeler la Roumanie ou Princeton. Il fait la navette entre les deux… C'est assez difficile de savoir où il est, en fait.

Silence.

– Pourquoi vous ne demandez pas à Shelli d'apprendre le boulot à Tiffany ?

– Réfléchis, voyons. Shelli est une écervelée.

– Donc, Shelli est une écervelée et Tiffany, une négresse. Eh ben. Je suis roumaine, vous savez. Quel truc bizarre vous pensez de moi ?

– Ça se pourrait bien que tu sois un vampire.

– Monsieur Baum, ça ne me dérange pas d'aider. Mais, sérieux, je pense que vous devriez laisser sa chance à cette fille.

– Je lui laisse sa chance. Je l'ai embauchée, non ?

Pauvre type.

Il n'a aucune idée que je lui vole ses bénéfices.

Et que je l'empoisonne.

Mais bon, à ma décharge, je pense que cette conversation prouve qu'il le mérite.

Heureusement, il n'y a pas foule ce soir et on quitte le boulot de bonne heure. Au retour, quand ma mère me ramène en voiture, je ne peux pas m'empêcher de penser à Tiffany et à la bêtise de M. Baum. Ça ne me semble pas juste qu'il pense d'emblée ces trucs horribles, alors que Tiffany est juste une petite nana toute maigrichonne qui a sans doute vachement besoin de bosser. Comme on dit, c'est comme ça, on n'y peut rien, je sais. Mais on ne peut pas non plus s'empêcher de se dire : « Pourquoi ça ne se passerait pas autrement, pour commencer ? »

On s'arrête à la station-service 76.

– Maman, comment ça se fait qu'on va pas à l'église ?

– Oh, ma puce, il n'y a que des idiots là-bas.

– Ben, la mère de Shelli y va tout le temps.

– Écoute, si tu veux y aller, vas-y, mais quand ils vont commencer leur prêchiprêcha avec la Bible, à parler du bien et du mal, de qui est mauvais et de qui est gentil, de qui va aller au paradis et de qui va brûler en enfer, tu voudras peut-être chercher la sortie.

Silence.

– Si tu veux parler à Dieu, il te suffit de joindre les mains et de prier.

Silence.

– Vu qu'Il est partout et tout ça.

Elle ajoute, plus pour elle-même que pour moi :

– Une bande d'hypocrites, oui. Ils passent leur temps à juger les autres.

Silence.

– Ne jamais juger un homme avant d'avoir marché un kilomètre dans ses chaussures.

Silence.

– Comme ça, t'es à un kilomètre et t'as ses chaussures.

Elle me fait un clin d'œil. Ma mère est un peu tordue, mais je ne peux pas m'empêcher de sourire.

– Maintenant je dois faire le plein. Ne bouge pas.

Elle sort d'un bond et claque la portière.

C'est une de ces journées débiles où rien ne va vraiment mal, mais rien ne va vraiment bien non plus, et le ciel n'arrive même pas à choisir entre le bleu ou le gris. C'est un lundi, bien sûr, ce qui rend aussi tout carrément nul. Et je ne sais pas pourquoi, mais j'ai comme un sentiment d'appréhension ou d'angoisse, ou je ne sais quel autre mot qui commence par *A* et qui vous donne envie de retourner au lit et de mettre la tête sous l'oreiller.

Il y a quelques points positifs. Par exemple, je me suis débrouillée pour éviter Becky toute la matinée. J'ai obtenu un A à mon interro de biologie. Et, d'après le menu de la cafète, il y aura des cupcakes à midi.

Mais sinon, tout est morne et inutile.

Sans compter que Logan ne me croise pas dans le couloir à l'heure habituelle pour faire comme si on ne se connaissait pas et qu'on n'était pas des agents secrets follement amoureux l'un de l'autre ou un truc du genre.

Ça m'agace un peu.

En ce moment, je me trouve dans la seule salle sympa du bahut, là où ont lieu nos cours d'arts plastiques. Ils ont bâti cette annexe bien après la construction de l'école avec quelqu'un qui semblait se préoccuper de l'apparence des choses comme… la lumière naturelle, à en croire l'inclinaison du plafond, et, plus généralement, de créer un environnement où une bande d'ados artistes n'auraient pas envie de se jeter du haut du pont le plus proche.

Il faut reconnaître que ça a marché. Quand vous entrez dans la salle, vous avez vraiment l'impression qu'un truc vaguement intéressant pourrait s'y passer.

Mais c'est peut-être aussi parce que notre prof est défoncé.

Vous savez qu'il existe un truc appelé marijuana ? Ouais, vous en fumez et, du jour au lendemain, vous vous laissez pousser les cheveux, mangez des Cheetos et écoutez les Pink Floyd jusqu'à ce que votre mère frappe à votre porte et vous demande de nettoyer votre chambre, ou au moins de vous laver la tête, ou éventuellement d'envisager de faire quelque chose de votre vie.

Dans ma tête, c'est impossible que M. Toxico, le prof d'arts plastiques, ait d'autres projets.

Je sais que je devrais sans doute connaître son nom maintenant, mais j'arrive pas à m'en souvenir et c'est probablement parce qu'il arrive pas à se rappeler le mien.

Je parie qu'en ce moment il se croit en train de traverser le pays en moto comme Che Guevara ou Jack Kerouac ou je sais pas qui, mais jusqu'ici sa dépendance à la came ne l'a mené qu'à apprendre à une bande d'ados cafardeux comment peindre des arbres.

Voilà à quoi ont servi les années 1960, j'imagine. Transformer tout le monde en raté. Et veiller aussi à ce que tout le monde porte des chaussettes avec des sandales.

Chaque fois que des vieux vous disent : « T'aurais dû voir ça » et « Les années 1960, c'était génial » ou peu importe, écoutez plutôt les paroles de ma mère : « Oh, tu sais, ma puce, la plupart de ces gens n'étaient que des abrutis. Des moutons qui suivaient le mouvement. Souviens-toi d'une chose. Chaque fois que tu vois tout le monde partir dans la même direction, fais-toi plaisir, pars dans l'autre sens. »

Mais bon, pour l'instant, on est en cours et on étudie l'icône légendaire du pop art, Andy Warhol. Je suis en train de créer un chef-d'œuvre avec une série de cornets de glace parfaitement identiques, mais à différentes couleurs de parfums. M. Toxico est impressionné, alors c'est clair qu'après mon diplôme je vais filer direct à New York, un béret sur la tête.

Mais tout ce foisonnement artistique est subitement interrompu par la sonnerie stridente de l'alarme incendie qui se déclenche et on n'a pas le temps de réagir qu'on se précipite déjà tous à l'extérieur.

Sur la pelouse, on est la seule classe rassemblée parce que notre petit avant-poste architectural se situe à l'écart du reste du lycée. On gèle, mais tout le monde a l'air fou de joie de vivre cette grande première : ON EST DEHORS ! EN PLEIN MILIEU DE LA JOURNÉE ! Peu importe qu'on l'ait déjà été environ deux heures plus tôt.

Après une quinzaine de minutes de folie douce qui nous a conduits à l'amusement, puis à l'ennui, on nous pousse à réintégrer la salle de classe et il n'y a pas grand-chose à signaler.

Sauf.

Vous vous souvenez de mes cornets de glace façon pop art dont je vous parlais ?

Eh bien, on les a remplacés.

Enfin, pas vraiment remplacés, simplement mis de côté.

Pour une œuvre plus grandiose.

Je sais. Vous mourez d'envie de savoir ce que c'est.

Vous et toutes les autres personnes présentes dans la classe. Y compris M. Toxico, dont j'ai la certitude qu'il est fraîchement défoncé.

Bref, voilà ce qui trône désormais sur mon chevalet : imaginez un tableau réalisé avec du blanc, de la peinture à l'huile, du verre, des éclats de miroir, encore du verre, encore du blanc, même des coupures de journaux et de magazines recouverts de blanc. Et tout ça se retrouve sur la toile. Si bien que lorsque vous la regardez, ça ressemble à une flopée de machins blancs qui captent la lumière et étincellent, et c'est carrément éblouissant.

Mais regardez de plus près et à présent vous voyez ce que représente le tableau en réalité. Les éclats de verre et de miroir, le papier journal peint et la peinture à l'huile s'entremêlent pour former une image, une image à peine visible, celle d'une fille. D'une fille avec des pommettes marquées, une mâchoire carrée de mec, des cheveux blond platine, et des yeux de raton laveur bleu-gris cernés de violet qui ressemblent un peu à…

– C'est toi !

Ça vient d'un des hard-rockeurs de la bande.

– Hé, Anika ! C'est toi !

– Complètement !

– C'est toi qui l'as fait ?

Maintenant, tout le monde me regarde. Et je secoue la tête. Enfin quoi, qu'est-ce que je suis censée répondre ? 1) Je n'ai pas ce talent, et 2) ouais, je l'ai fait… en pensée… pendant qu'on était tous dehors à se peler.

Au tour de M. Toxico d'intervenir.

– Hmm… C'est assez intéressant, en fait… Technique mixte. Monochrome. Ça dénote pourtant une certaine frénésie, un peu dans le style de Jean Dubuffet…

Waouh ! j'imagine que M. Toxico a vraiment lu quelques livres entre deux bouffées de cannabis.

Et voilà qu'il se tourne vers moi.

– Eh bien, Anika, on dirait que tu as un admirateur secret… Et drôlement talentueux, avec ça.

Je fais une prière en silence où je remercie Dieu que Becky ne soit pas là. Sinon j'aurais droit à un châtiment aussi rapide qu'instantané. À la fois pour être l'objet de cet hommage et pour le fait que cet hommage soit, j'en suis sûre, de la merde aux yeux de Becky.

Mais c'est pas de la merde.

Et quand je pense à la manière diabolique avec laquelle son auteur s'est débrouillé pour acheminer cette œuvre, je sens comme de la magie dans l'air. C'est électrique. Comme s'il y avait un câble sous tension dans les parages.

Personne ne connaît le nom de l'artiste. Mais moi, je sais. Je souris. Logan.

Je sais que vous devez penser que Shelli se tape tous ces
mecs parce qu'elle est amoureuse, mais c'est ça qui est marrant : je ne pense pas que ce soit le cas. Je pense qu'elle fait
juste ça pour passer du temps avec eux. Genre, ils sortent
tous ensemble et les mecs se demandent dans l'intervalle
lequel d'entre eux va se taper Shelli. Alors elle capte toute
cette attention de dingue pendant que chacun espère être
l'heureux élu. Elle s'en tape un, puis elle le largue, genre elle
ne dit même pas au revoir ni elle l'embrasse ou quoi. Elle
se barre comme s'il y avait le feu à la baraque et ne reparle
jamais au mec. Jamais. Elle ne l'appelle pas. Ne lui écrit pas.
Ne le suit pas.
Le plus drôle, c'est que ça les rend encore plus fous d'elle.
Genre elle a eu une super baise d'enfer avec eux, les largue,
et tout d'un coup ils tombent carrément *amoureux* d'elle.
Faut lui rendre justice, sa technique relève du génie.
Je sais que je ne pourrais pas le faire. Surtout parce que je
suis absolument pétrifiée à l'idée de contracter une mala-
die dégueu. On sait jamais, avec ce genre de mecs. Certains
ont l'air de sortir tout droit d'un centre de détention pour

mineurs. J'ignore comment Shelli parvient à les différencier, mais tous essaient tout le temps de la tripoter.

L'espèce de tordue de raciste qu'elle a pour mère l'a fait bosser au Bunza Hut pour lui éviter de s'attirer des ennuis. L'ironie de tout ça ne m'échappe pas, vu que je suis rapidement en train de la transformer en saboteuse de première.

Mais ce soir, Shelli ne peut même pas se rendre à la fête d'anniv de Brad Kline, parce que sa mère a décrété qu'elle devait rester à la maison pour étudier la Bible ou je sais pas trop quoi.

Un de ces quatre, sa mère va se retrouver embarquée chez les fous, ça ne fera pas un pli ! Sa mère l'oblige à brûler ses cheveux après les avoir coupés, pour que personne ne tente de lui jeter un sort. Je ne plaisante pas. Pour vous dire à quel point elle est cinglée.

Donc, ce soir, on est juste Becky et moi, ce qui peut sembler une torture, à l'exception de deux facteurs importants.

D'abord, Becky est totalement différente quand elle passe en mode « fêtarde ». Genre elle copie toutes ces filles qu'on voit dans les films pour ados et son but consiste à mettre une ambiance d'enfer, à être la belle du bal, la plus éclatante et la plus heureuse de toutes. Alors elle va préparer des Jell-O *shots*, sourire tout le temps et agir comme si elle était la fille la plus cool, la plus géniale et la plus sexy de tous les États-Unis d'Amérique.

Je sais. C'est surprenant. Mais même Dark Vador a deux ou trois petits boutons rouges.

Même si, en temps normal, j'aimerais voir Becky disparaître dans le gouffre le plus proche, le fait est qu'on ne peut pas s'empêcher de l'apprécier quand elle adopte ce mode-là. Elle est charmante, drôle et elle va lancer la soirée, vous prendre sous son aile et vous faire chanter à tue-tête les chansons les plus ringardes et rire à gorge déployée.

Bref, ça renforce sa réputation de numéro 1, la Super Géniale Becky Vilhauer que tout le monde DOIT fréquenter… avec laquelle tout le monde DOIT devenir ami.

Je ne pourrais pas être entourée d'une cour comme ça. J'aurais vite fait de virer tout le monde. Mais Becky a vraiment un truc. Elle ne le sort que pour les grandes occasions. Et ce soir, mes amis, c'en est une.

C'est le second facteur important dont je vous parlais plus haut. La fête se déroule chez Brad Kline. Ça signifie qu'on ne va pas tarder à voir Jared Kline.

Oui, LE FAMEUX Jared Kline.

Je parie que toutes les filles présentes se demandent à quel moment elles vont apercevoir le Sublime Jared et peut-être, peut-être seulement, pouvoir lui parler. Ou même lui tailler une pipe. C'est comme un but en soi.

Je sais. C'est dur de croire que ce mec est un genre de rock star. Mais c'est le cas. C'est énorme.

Même moi, avec mon mépris pour l'humanité entière, je ne peux résister à jeter un coup d'œil sur Jared Kline. OK, je ne fais pas la queue pour me déshonorer avec lui comme toutes les autres nanas… mais ça ne me dérange pas de le regarder. C'est un peu comme voir Jésus dans une tortilla ou je sais pas quoi.

Les Kline habitent dans cette énorme demeure de style Tudor sur Sheridan Boulevard, qui donne un peu l'impression qu'ils devraient tenir une chocolaterie en Bavière. Et, bien sûr, Becky est présente parce que Brad Kline est son petit copain. Leur relation s'est drôlement refroidie à l'heure où je vous parle, vu que Becky se trouve dans l'une des chambres, en ce moment même, et s'envoie en l'air avec le frère de Brad.

Comme je disais, personne ne peut résister à Jared Kline.

Pas même Becky.

Mon job, là maintenant, c'est de m'assurer que personne, en particulier Brad Kline, ne s'approche de la chambre en question. C'est pas facile, mais faut bien que quelqu'un le fasse et, vu que Shelli est probablement en train de réciter le Nouveau Testament avec Maman Foldingue, c'est à votre serviteur que cette tâche incombe.

C'est peu de dire que beaucoup de gens dégueulent à cette soirée. Heureusement pour moi, les deux salles de bains de l'étage se trouvent près de l'escalier, si bien que j'ai juste besoin de rester là et de tituber un peu comme si j'étais saoule mais pas pressée d'aller quelque part, pendant que Becky entre au panthéon de celles qui se sont fait baiser par les frères Kline. J'espère qu'il a mis une capote. En cas de pépin, le test ADN pourrait se révéler délicat...

Pour ma part, j'aimerais simplement que Logan apparaisse comme par magie à la fenêtre, éventuellement sous la forme d'une chauve-souris, puis qu'il s'envole ensuite vers une montagne sombre et sinistre où il devrait coucher avec moi uniquement pour m'éviter de pleurer.

Mais ça n'a pas l'air de vouloir se passer.

Ce qui se passe, là dans la seconde, est bien pire. Brad Kline gravit les marches en trébuchant comme un mec bourré à la recherche de sa copine, qui se tape son frère à trois mètres de là.

Que faire ? Que faire ?

Brad Kline étant capitaine, si je lui fais un croche-pied dans l'escalier, il se pourrait bien que son équipe ne puisse jamais aller jusqu'à la fac. Un tel événement serait l'équivalent d'une catastrophe nucléaire par ici, où tout le monde a des parents minables qui vivent par procuration, et moi, je finirais sans doute dans une prison de haute sécurité où je serais constamment violée par des filles appelées Spike.

Donc, pas question de le faire dégringoler.

De plus, c'est son anniversaire.

Le voilà qui s'avance d'un pas lourd droit sur moi et il va foncer direct dans cette chambre et, mesdames et messieurs, ça va pas être joli à voir. Ou peut-être que ce sera vaguement porno. Enfin, peu importe, ça va entraîner un combat à mort entre Abel et Caïn, à coups de couteau, de rapière ou peut-être juste à mains nues. À un moment donné, les deux frangins étaient dans l'équipe de lutte, alors il y a de fortes chances que le combat donne un peu dans l'homoérotisme.

Avant de réfléchir à telle ou telle conséquence, je chope Brad Kline par son maillot de foot, le colle contre le mur et lui fourre ma langue dans la gorge, comme si j'étais une nymphomane privée de sexe qui rentre à peine d'une île remplie de grenouilles. Brad est carrément éberlué, mais pas au point de ne pas m'embrasser en retour. C'est là que j'aimerais préciser que Brad Kline embrasse atrocement mal. On dirait que sa langue est un lézard qui essaye désespérément de manger tout ce que j'ai dans la bouche, avant de se glisser dans ma gorge. Beurk !

Pendant ce baiser-glissant-du-lézard, l'idée me traverse que tout ça risque d'avoir un effet contre-productif et que Becky pourrait m'en vouloir à mort de l'avoir protégée pendant qu'elle faisait la pouf avec le frère de Brad.

Bon, et ensuite ?

C'est là que je décide que la meilleure chose à faire consiste à tomber dans les pommes. Ce que je fais. Là maintenant. Oui, les amis, c'est officiel. Je suis maintenant étendue par terre, comme si on m'avait collé un coup de marteau sur la tête.

C'est le chaos. L'anarchie.

Les grenouilles tombent du ciel.

Tout à coup, le grand drame de la soirée, c'est qu'Anika, la deuxième meilleure amie de Becky, a totalement perdu connaissance et… Oh là là !… et si elle ne se réveillait pas ?… On a entendu dire que c'était un vampire, de toute manière, alors peut-être qu'elle fait partie des morts-vivants, maintenant !

Tout le monde dit qu'on devrait appeler une ambulance… non, on ne devrait pas… Si, on doit le faire… Non, on ne peut pas, on peut, on ne peut pas.

Si j'ouvrais les paupières – et j'en crève d'envie –, je verrais un cercle de têtes au-dessus de moi, qui réfléchissent, discutent le pour et le contre, et plissent les yeux. Tout ce que je veux, c'est que cette putain de porte derrière moi s'ouvre et que Becky foute le camp, pour que mon grand numéro puisse s'achever.

Mais, au lieu de ça, c'est Jared Kline qui surgit.

Oui, LE FAMEUX Jared Kline.

J'ai pas le temps de réagir qu'il me soulève de terre comme s'il venait de m'épouser et me transporte en bas, dans la bibliothèque. La foule se sépare comme la mer Rouge à la vue du Sublime Jared, qui descend les marches avec ce petit oiseau blessé dans les bras, et s'engouffre dans la pièce sombre et lambrissée, où il va évidemment me sauver la vie en pratiquant un bouche-à-bouche qui me transformera en fée princesse.

On n'est pas dans un opéra, mais c'est tout comme.

Tout le monde essaye de pénétrer dans la pièce avec nous, mais Jared me dépose sur le bureau géant de son père, se retourne et claque la porte. Au moment où je soulève une paupière pour tenter de voir qui regarde depuis le couloir, j'ai une vision qui me remplit de terreur.

De terreur !

Non, c'est pas une ambulance, les flics, ou même une horde de zombies dégoulinants. C'est Becky Vilhauer, là debout, qui me mate comme si j'étais morte.

Ce que je suis sans doute, inutile de se voiler la face.

18

– Hé ? Hé… ça va ?

C'est le moment où je dois faire mine d'émerger de mon évanouissement.

Ma sœur Lizzie nous faisait tout le temps jouer des pièces, surtout des comédies musicales, alors c'est pas comme si j'avais aucune expérience sur les planches, voyez-vous. On était tellement doués, en fait, que ma mère nous a même tous inscrits aux concours de jeunes talents. On avait un numéro complet avec *Ain't She Sweet* qui faisait un vrai carton. J'étais le clou du spectacle. Mes sœurs exécutaient leurs pas de danse, chantaient leurs couplets. Puis mes frères faisaient des claquettes, chantaient le refrain… Ensuite j'arrivais sur scène avec une sucette géante et un énorme chapeau et, avant même de s'en rendre compte, on raflait le trophée de la foire du coin. Véridique. Quand j'entrais en scène, on entendait quasiment soupirer les autres participants déjà vaincus. La seule fois où on est arrivés deuxièmes, on a dû affronter un poulet qui jouait au morpion. Ce jour-là, ce fut le poulet le clou du spectacle.

– Anika ? C'est bien Anika, oui ? La copine de Becky. Réveille-toi, Anika !

Émerger de mon malaise bidon, faire comme si j'avais la tête qui tournait, tout en regardant droit dans les yeux du Sublime Jared… ben ça, mes amis, c'était pas trop difficile. Il se tient debout juste au-dessus de moi et me regarde comme si j'étais le plus minuscule, le plus doux et le plus mignon des petits lapins.

– Ça va mieux ? Tiens, un verre d'eau.

La pièce est en merisier sombre et il y a une sorte de lampe en opaline verte sur le bureau, de la feutrine verte aussi sur ce meuble en acajou. Je ne me suis jamais interrogée sur la profession du père des frères Kline… mais quel que soit son boulot, il ne doit pas être trop minable. Cette maison, la pièce – les tableaux au mur, des huiles avec des bateaux pris dans d'énormes vagues au beau milieu de l'océan, l'échelle qu'on peut déplacer pour atteindre les livres sur les étagères –, tout ça ressemble à ce qu'on peut voir dans *Un fauteuil pour deux*, pas à Lincoln, Nebraska. Lincoln, c'est le genre d'endroit où, si vous êtes riche, vous avez deux voitures. Pas une bibliothèque avec une échelle et des marines au mur.

Je bois mon verre d'eau en silence et lève les yeux sur Jared Kline, en cherchant ce que je vais bien pouvoir dire sans passer pour une parfaite abrutie. « Alors, comme ça, t'étais en train de baiser avec la copine de ton frère », ça va pas le faire, j'imagine. Lui non plus ne dit pas grand-chose. Il se contente de fixer le tapis. Genre persan, encore un truc très cher, étalé au milieu du parquet.

Bref, c'est une pièce pour impressionner les gens. Et ça marche.

Je hasarde un petit « merci ».

Je lui rends le verre d'eau et il reste juste assis là. J'attends qu'il rouvre la porte et retourne à sa liaison torride avec Becky Vilhauer.

C'est assez bizarre, on dirait qu'il veut juste rester assis là comme en transe, à contempler le tapis et à me donner l'impression que je suis une abrutie.

– Tu sais, ils utilisent le bouquin de ton père en histoire du monde moderne. Gustav Dragomir, c'est bien ton père ?

Je bats des paupières.

– Ouais, c'est bien lui.

– Un mec intelligent. Tu sais qu'il est vraiment célèbre, hein ?

Je hausse les épaules.

– Ouais, bof.

– Comment ça se fait que tu vis pas avec lui ?

– Ben, il vit en Roumanie la moitié du temps, alors…

– Tu vis chez ta mère ?

– Ouais.

Hmm… discuter du comte Dracula-bis ? C'est la dernière chose que je pensais faire à cette soirée. Les trucs que je croyais *vraiment* faire : Jell-O *shots* avec Becky, sauter du toit, faire du vélo dans la piscine. (Au fait, j'ai réellement fait ce dernier truc. Sachez-le, c'est tout.) Mais cette discussion, non, je m'y attendais pas.

– Alors toi aussi, tu dois être douée, hein ?

Jared Kline est connu pour des tas de choses. Se défoncer. Rouler des pelles. Briser des cœurs. Être super canon. Mais l'intelligence ? Ben, s'il ressemble plus ou moins à son frère, ça fait pas partie de ses compétences.

– C'est quoi, ce genre de questions ? je lui demande.

Impossible d'y répondre sans passer pour une débile.

Ça le fait sourire et il me regarde.

– Je te proposerais bien du shit, mais je pense que t'es en train de récupérer, là.

– Je sais. Ça me gêne un peu, d'ailleurs.

Je me déplace pour descendre d'un bond du bureau.

– On devrait rejoindre les autres, je crois…

Il jette un regard vers la porte et plisse les yeux.

– Je suis pas franchement pressé. Tu peux y aller, si t'as envie.

Ben, la seule chose que je ne vais pas faire, c'est de laisser le fabuleux Jared Kline dans cette fabuleuse pièce sans raison. Je déteste peut-être l'humanité entière, mais il y a certaines choses qu'on ne fait pas. Même si on est misanthrope. Sortir là, tout de suite, ça en fait partie.

C'est sûrement l'un des épisodes les plus embarrassants de l'histoire de la bibliothèque du père de Brad Kline. On est là tous les deux assis, sans savoir quoi se dire. Mais le plus bizarre, on dirait presque que Jared Kline est… nerveux. Ce serait possible ? Le Sublime Jared perd ses moyens ?

– Alors, t'es la meilleure amie de Becky ou quoi ?

– J'en sais rien. Plus ou moins.

– C'est pas quelqu'un de très gentil, tu sais.

Bizarre dans la bouche de celui qui vient de la baiser.

– Je prends un joker.

– Tu devrais pas traîner avec elle.

Maintenant, ça commence vaguement à m'agacer. C'est qui, ce mec, pour me dire ce que je dois faire ? C'est la première fois qu'on se parle, bon sang ! OK, il m'a portée genre Scarlett O'Hara dans l'escalier, mais ça lui donne pas le droit de me commander.

Je le fusille du regard comme c'est pas permis.

– Ah ouais ? Et avec qui je *devrais* traîner alors ?

Et là il me regarde vraiment droit dans les yeux pour la première fois. C'est un regard bizarre que j'ai jamais vu ailleurs, sauf dans les films.

Il se penche et me répond, en murmurant à peine :

– Moi.

19

J'ai pas eu la chance de grandir dans des maisons friquées. Dans des maisons de banlieue avec des murs lambrissés et peut-être une super télé, oui bien sûr. Mais une pièce comme celle-ci, avec un globe terrestre ouvragé, des marines au mur et un sous-main en feutrine verte sur le bureau… pour une raison que j'ignore ? Non. Faut être né là-dedans pour connaître ce genre de pièce.

Je ne suis pas en train de pleurer sur mon sort ou de faire comme si on m'avait élevée dans une cabane ou autre. C'est pas le cas. Ma mère a évité ça en épousant l'ogre. C'était son sacrifice. Et je le sais bien. Je le sais, même si elle ne veut pas l'admettre. Elle a passé un marché. Et elle l'a fait pour nous. Je ne peux pas m'empêcher de me demander si ça en valait la peine. Et je ne peux pas m'empêcher de vouloir un jour faire un truc qui la rende fière de moi. Même si je démarre plutôt mal en volant M. Baum sous son nez au Bunza Hut. Mais bon, là maintenant, à la soirée de Brad Kline, coincée dans cette pièce de gens friqués avec LE FAMEUX Jared Kline… j'ai l'impression d'être une héroïne de sitcom qui flotte sur son petit nuage, subjuguée par le beau gosse riche et célèbre de l'épisode.

M'enfin je sais aussi que tout ce que raconte Jared Kline relève du bon gros mensonge, parce que c'est le roi de l'arnaque. Un loup déguisé en agneau sous son tee-shirt Led Zeppelin. Tout le monde le dit. Et en ce moment, il est juste assis là, avec ses Vans aux pieds sur le bureau et il me sourit comme s'il savait un truc absolument génial mais ne pouvait pas me le dire.

— Écoute, je sais que t'es un beau parleur, alors je sais pas trop ce que t'as prévu de me faire, mais je veux que tu saches que ça va pas marcher.

Il déplace ses Vans.

— Ah ouais ?

— Euh… ouais. Je suis certaine qu'on peut pas te prendre au sérieux.

— Vraiment ?

— Désolée, mais je ne vais pas te mentir. Je sais que tout le monde te considère comme un dieu vivant, mais ça veut pas dire que je le pense ou que je vais enlever mon pantalon ou quoi parce que tu m'as sauvée comme si j'étais une espèce d'oiseau blessé. Tu m'as sans doute sauvée juste parce que tu ne voulais pas être responsable, ou un truc comme ça.

— Responsable ?

— Ouais. Responsable. Genre t'avais pas envie d'être poursuivi en justice ou autre. Je sais que ce genre de chose arrive tout le temps, alors…

— Ah bon ?

— Ouais.

— Ben, donne-moi un exemple.

— OK… Bon, j'ai rien qui me vient en tête là maintenant, mais je sais que les gens le font. Ma mère dit toujours qu'il faut pas recevoir des gens chez soi, parce que si quelqu'un se saoule et a ensuite un accident, t'es responsable et on peut t'attaquer en justice.

– Donc, ton exemple, c'est ta mère qui parle d'un truc hypothétique ?

– Ouais. C'est ma mère. Mon exemple vient de ma mère.

– T'aimes bien ta mère ?

– Quoi ? C'est quoi, cette question ? Bien sûr que je l'aime, espèce de cinglé.

– OK, c'était juste pour vérifier.

– Pourquoi, t'aimes pas la tienne ?

– Si, je l'adore. Elle essaye vraiment d'aider les gens. Surtout les jeunes, les gosses qui ont un cancer, qui sont pauvres, tout ça. Je trouve ça assez cool, en fait.

J'imagine que c'est sa façon à lui de me montrer qu'il a un « cœur » et que je devrais le trouver sympa. Mais je ne mords pas à l'hameçon.

– À propos, lui dis-je, sache que je suis au courant que tu viens de baiser avec ma copine Becky, alors si tu cherches le tiercé ou le couplé gagnant ou je sais pas quoi, ça risque pas d'arriver.

– Le couplé ?

– Ouais. Tu sais bien. Genre tu tires ton coup vite fait après le premier, un truc comme ça.

– J'ai rien fait avec Becky.

– Ben voyons…

– J'ai rien fait, je te dis.

– Arrête ton char.

– Sérieux ? Elle s'est carrément jetée sur moi et j'ai dû lui faire comprendre que c'était pas cool. Vu qu'elle sort avec mon frère et tout.

– Je te crois pas.

Il hausse les épaules.

– C'est pas ton amie, de toute manière.

– Et c'est censé vouloir dire quoi ?

– Elle est l'amie de personne. C'est comme un dragon… déguisé en fille adorable.

– Hmm… Et qu'est-ce que t'en sais que je suis pas pareille ?

– J'ai jamais dit que t'étais une fille adorable.

J'imagine que Jared peut voir la vapeur s'échapper de mes oreilles.

– Merci. Bon, je vais m'en aller maintenant…

– Je pense que t'es une fille trop cool.

OK, peut-être que ça me coupe dans mon élan.

– Une fille cool qui se trouve être assez sexy, en fait.

– Bon, écoute… Je sais pas ce que t'as l'habitude de sortir aux filles pour qu'elles te tombent dans les bras, mais sache que je suis pas née d'hier, alors je vais te laisser avec la première débile qui va gober ce genre de conneries.

À ces mots, je sors dans le couloir. Mais avant de refermer la porte, je l'entends :

– Salut. T'es trop cool.

20

Bien sûr, la première personne que je vois dans le couloir, c'est Becky.

– T'es morte, ma vieille.

Les gens commencent à s'en aller et elle va tourner les talons et franchir la porte d'entrée, alors faut que je me dépêche pour la rattraper.

– M'enfin quoi ? Becky... Je te dis, j'essayais de te couvrir.

– Écoute bien, l'immigrée. Je sais pas ce que t'as dans la tronche depuis un petit moment, mais j'ai l'impression que tu touches plus terre.

– Becky... je te *couvrais*. Allô ? Brad était en train de monter l'escalier... On allait tout droit à la cata. Le *Titanic* qui fonçait sur l'iceberg.

– Et t'étais obligée de te casser avec Jared ?

– M'enfin, je me suis pas cassée avec lui ! Il m'a portée ! Tu sais que tout ce cinéma, c'était pour TOI, histoire que tu ne te fasses pas choper ? Allô ? J'ai joué la super copine. J'ai fait genre je tombe dans les pommes pour te couvrir.

Becky stoppe net à la porte d'entrée. Si elle s'en prend à moi, je vais vivre un véritable enfer, je le sais.

– Qu'est-ce qu'il a dit ? T'es restée longtemps là-dedans.

– Rien… Enfin, il n'a fait que parler de toi.

Silence.

– Ah bon ?

– Ouais. C'était carrément dingue. Il est genre obsédé, ce mec.

Maintenant elle me traîne à l'extérieur jusque sous un chêne géant, complètement décoré de papier W.-C. Quant à la pelouse, elle est tapissée de canettes de bière.

– OK, alors je veux que tu répètes *exactement* ce qu'il a dit.

– Hmm… Bon, à la base, il a surtout dit que t'étais hyper belle et qu'il regrettait que tu sortes avec son petit frère, sinon il pourrait être ton copain. Et peut-être qu'il t'aurait même emmenée au bal de promo.

– Quoi ? Non.

– Sérieux. Il te prend pour un top model ou je sais pas quoi.

– Bon, c'est vrai que j'ai fait des photos pour ce catalogue il y a un mois, dit-elle plus pour elle que pour moi. Tu crois que je devrais larguer Brad ?

– Quoi ?

Maintenant j'ai l'impression que tous les invités de la fête déboulent sur la pelouse.

– Ben ouais, genre je pourrais sortir avec Jared, tu vois ?

– Hmm. Je pense pas que ça marche comme ça…

– Comment ça ? Tu viens de me dire qu'il craquait pour moi !

– C'est vrai ! Complètement. C'est juste que… Il peut pas sortir avec toi, même si tu largues Brad. C'est genre pas sympa. Tu peux pas sortir avec l'ex-copine de ton frangin. C'est genre incestueux ou un truc comme ça.

À présent c'est carrément toute l'équipe de foot, Brad compris, qui a l'air de sortir à flots par la porte d'entrée. Chip Rider dégueule dans la poubelle sur le trottoir. Beurk.

– Écoute, l'immigrée. Je ne suis plus en pétard contre toi. Ça m'a juste agacée, j'imagine. Parce qu'il t'a sauvée ou je sais pas quoi, tu vois. Mais t'as raison. Bien sûr qu'il ne t'aime pas. Enfin, je veux dire, ne le prends pas mal, mais t'es genre métisse. Enfin, bon… sans vouloir être méchante.

– Ouais, non. OK. Ce serait carrément dingue.

– Et c'était vraiment sympa de ta part de me sauver la mise.

– Merci. Ben, tu sais, à quoi serviraient les amies, sinon ?

– On s'embrasse ?

– Ouais. OK.

Et maintenant je serre dans mes bras Dark Vador en personne, tandis que Chip, un peu plus loin, croit qu'il a fini de dégueuler, mais c'est faux, alors il marche carrément en gerbant sur son pull.

– T'es une vraie amie, Anika.

C'est un miracle si je ne dégueule pas moi aussi.

21

Ça ne m'a pas échappé que les deux seuls mecs au monde qui ont l'air de m'apprécier, disons, sont tous les deux inaccessibles pour des raisons totalement différentes. Bizarre, la vie, non ? Logan est hors de portée parce que c'est un paria au bahut et ça pourrait totalement me détruire si quelqu'un apprenait qu'on se balade en scooter et que je fais le mur pour le retrouver tard le soir. Jared Kline est le mec le plus canon de la ville, peut-être même de l'État, et si Becky savait ce qu'il a dit d'elle dans la bibliothèque pour gens qui se la pètent, elle me jetterait direct en pâture aux loups.

Bien sûr, je ne peux rien raconter à Shelli. Je sais qu'elle ferait une gaffe. Elle oublie des trucs ou alors elle se plante. Par exemple :

Shelli oublie tout le temps la somme d'argent qu'on doit piquer. Je ne sais pas pourquoi ; je veux dire, tout ce qu'elle a à faire, c'est de soustraire le montant à la NOTE, et pourtant chaque fois elle se retrouve avec de la petite monnaie ou bien un billet de dix ou même de vingt, comme si elle n'arrivait pas à se rentrer les chiffres dans le crâne. Bon, j'ai pas envie de la traiter d'idiote, parce qu'elle ne l'est pas, mais le calcul mental, c'est pas franchement son fort. Le hic, c'est qu'on peut pas voler avec Tiffany. Faut que ce soit juste Shelli et moi. Mais mon petit doigt me dit que Tiffany serait en fait meilleure que Shelli avec les chiffres.

D'un autre côté, tout le monde accuserait d'emblée Tiffany parce que cette ville est remplie de beaufs de banlieue en treillis qui pensent *réellement* que, Tiffany étant noire, elle est génétiquement prédisposée à voler tout ce qui lui tombe sous la main. Franchement, c'est ridicule.

Shelli n'est même pas là aujourd'hui, parce que c'est dimanche et sa cinglée de mère qui cite la Bible à tout bout de champ refuse de la laisser travailler le jour du Seigneur ou je sais pas quoi... Bref, il ne reste plus que Tiffany et moi, les deux pécheresses, pour bosser en ce jour saint et brûler ensemble en enfer.

Je ne vais pas montrer à Tiffany comment piquer dans la caisse. Pas question. Elle a l'air d'une fille vraiment bien et la dernière chose que j'aie envie de faire, c'est de renforcer l'étroitesse d'esprit des gens de cette ville et leurs idées étriquées sur la corrélation entre vol et couleur de peau.

M'enfin, ça me tente de la mettre au parfum.

Il y a une heure, c'était le coup de bourre, et maintenant le restau ressemble à une ville fantôme. M. Baum est au sous-sol en train de faire l'inventaire, alors Tiffany et moi, on fait la conversation. Grave.

– Ta mère a l'air vraiment gentille.

J'imagine que Tiffany l'a vue venir et m'attendre, avant de me ramener en voiture. Ma mère a carrément fait des efforts pour être sympa avec Tiffany et qu'on ne la prenne pas pour une raciste. Alors que tout au fond d'elle-même, franchement, je pense qu'elle l'est plus ou moins. Ne le prends pas mal, maman, mais t'es censée être dans la norme. Ni plus gentille. Ni plus méchante. Simplement normale.

– Ouais. Elle est sympa. Bien plus que mon père, c'est sûr.

– Au moins, t'en as un.

Argh ! J'ai pas réalisé que Tiffany habitait juste avec sa mère et personne d'autre dans ce truc. Ça expliquerait peut-être pourquoi une fois sur deux personne ne vient la chercher, et que c'est ma mère et moi qui finissons par la déposer chez elle. C'est un peu galère parce que son immeuble situé sur la nationale 80 se trouve exactement dans la direction opposée de la nôtre, ce qui nous fait trente minutes de trajet en plus pour rentrer chez nous, et c'est beaucoup après une journée passée à vendre encore et encore des Bunza et des frites à des familles qui se ressemblent toutes.

Normalement ça me saoulerait, mais on ne peut pas s'empêcher de se sentir coupable quand on voit où Tiffany habite. C'est pas un country club, c'est sûr. Il y a toujours deux ou trois camionnettes garées devant et des vieilles bagnoles qui ont l'air à deux doigts de rendre l'âme. Les jours où sa mère ne se montre pas, Tiffany se faufile en vitesse chez elle et ni ma mère ni moi ne savons trop quoi dire.

Qu'est-ce qu'on est censées dire, au juste ? Désolée si ta vie craint autant ? Désolée que ta mère oublie tout le temps de venir te récupérer ? Désolée s'il n'y a apparemment pas de père dans tout ça ?

Figurez-vous que j'ai jamais vraiment eu l'occasion d'apercevoir sa mère. Elle reste toujours assise dans la voiture et elle klaxonne. C'est une Pontiac bordeaux, pas si moche, en fait. Mais je trouve ça bizarre, le fait qu'elle ne rentre jamais au restau ou quoi. Je parie qu'elle est jolie. Tiffany a vraiment des traits fins, une vraie poupée avec de grands yeux et des joues rebondies. Sans parler de sa peau qui fait penser à de l'acajou sombre, mais avec une sorte de lumière quelque part en dessous. Je me demande à quoi doit ressembler sa vie dans cet immeuble merdique sans père et sans être pressée d'en avoir un.

J'ai à peu près un millier de questions à poser à Tiffany, mais je les trouve toutes plus débiles les unes que les autres.

Par exemple : on a un repas gratuit par service ici, au Bunza Hut. Bon, Shelli et moi, on ne le prend jamais parce qu'on a déjà goûté à tout ce qu'il y a sur la carte au moins huit mille fois et, si je dois manger un énième menu Bunza, je suis capable de me faire hara-kiri. Mais j'ai remarqué que Tiffany mange le repas gratuit chaque fois, méthodiquement − c'est réglé comme du papier à musique −, y compris le milk-shake à la fraise. Elle mange aussi tout ce qui lui tombe sous les yeux quand personne ne regarde, alors qu'elle doit peser dans les quinze cents grammes. Ce qui me fait penser que soit elle n'a rien à bouffer chez elle, à part des Doritos ou des Twinkies, soit elle a le métabolisme d'une cocaïnomane qui prend du crack. Je ne sais pas trop.

En tout cas, on ne peut pas s'empêcher de se demander s'il n'y a pas un truc à faire. Je veux dire, et si elle n'avait vraiment pas de quoi se nourrir chez elle ? Si sa mère oublie autant de faire la bouffe que de venir la chercher, Tiffany est mal barrée.

− Hé, tu veux venir dîner à la maison vendredi soir ?

Je l'ai dit avant même de savoir que j'allais le dire. Une idée complètement débile. Et si elle pense que je l'ai prise en pitié ?

− Bien sûr.

− On peut passer te prendre et tout ça.

− Ouais, OK. Ce sera sympa.

Et voilà, les amis. J'ai officiellement invité la seule Black de Lincoln, Nebraska, à venir dîner avec l'ogre, ma mère, Henry

le ténébreux, Robby le joyeux, mes deux salopes de frangines et moi ce vendredi soir. Je me demande si ma mère va
préparer un truc genre apéro dînatoire ou si elle va sortir la
porcelaine et se la jouer femme au foyer modèle.

22

Mon père appelle toujours sur le coup de 7 heures du mat',
parce que la moitié du temps il est en Roumanie et il y a
un décalage de huit mille heures là-bas, si bien que c'est le
soir chez lui et bien trop tôt pour moi. Ajoutez à ça qu'il
me fait toujours un sermon et que ça me fout la journée
en l'air.

– Qu'est-ce que c'est que ce B en éducation physique ?

– Je sais pas, il se trouve que…

– C'est une matière ri-di-cu-le, mais malgré tout, cela comp-
tera dans tes relevés de notes.

– Ben, c'est juste que…

– Écoute-moi. Je n'ai pas l'intention d'élever une fille qui
finira pieds nus et enceinte au Nebraska ! Imagine quel
destin mi-sé-ra-ble ce serait pour toi.

– Je sais bien que…

– Si tu dois obtenir de bonnes notes, c'est pour aller ensuite
dans une université d'élite de la côte Est, où tu développeras
tes re-la-ti-ons en te créant un réseau de connaissances dont
les parents ne sont pas des ouvriers du bâtiment.

– Je sais…

– Tu veux finir comme ta mère, avec un QI de cent soixante-deux et ne pas le mettre à profit ? Cent soixante-deux, tu imagines ? Et regarde où elle vit. C'est ce que tu veux ?

– Non, papa.

– OK. Alors voilà ce que tu dois faire. Tu vas trouver cet in-si-gni-fiant professeur de gymnastique après le cours. Tu lui demandes conseil. Les gens aiment se sentir importants. Et grâce à toi, il se sentira important.

– OK.

– Ensuite tu suis son avis à la lettre, dans les moindres détails, tu t'appliques. Puis, à la fin, quand tu auras progressé, tu lui es reconnaissante et le remercies pour ses sages conseils. Il te donnera un A. Fais-moi confiance. Parce que, grâce à toi, il aura l'impression que son travail à dix-sept mille dollars par an a vraiment de l'importance. Tu me comprends ?

– Oui.

– Bien. Maintenant, passe-moi ton frère.

En regagnant ma chambre, j'entends mon frère qui plaide sa cause…

– Oui, papa. J'ai obtenu quatre-vingt dix-huit pour cent. Mais j'ai rempli les questions subsidiaires pour les points bonus, ce qui fait quatre-vingt dix-neuf pour cent… Non, il n'accorde jamais cent pour cent à personne. Je suis premier de la classe. Oui. Quatre-vingt dix-neuf pour cent, c'est la meilleure note.

Je me demande si mon père sait à quel point ces appels de Roumanie à 7 heures du matin nous terrifient. En un sens, on doit forcément se demander aussi pourquoi ma mère nous le passe. Je préférerais qu'elle se contente de nous transmettre le message, ça nous éviterait de commencer la journée complètement flippés, en tremblant dans nos cornflakes.

Chaque fois, j'ai l'impression que mon cœur est sur le point de s'arrêter de battre.

Une fois arrivée en quatrième heure, c'est-à-dire en cours de gym, je me suis quasiment libérée de cette trouille et de ce dégoût. Mais… M. Dushane débarque.

Ouais, il s'appelle comme ça. Incroyable, hein ? Déchaîne, Dégaine, et mon préféré : Tchétchène. Il a eu droit à tous les surnoms. Dans son dos.

Il est bien foutu, pour un vieux, mais le plus marrant, c'est qu'il porte toujours un short de sport genre hyper court. On voit pratiquement son vous-savez-quoi qui dépasse à l'avant du minishort débile et provoc. Chelou, le mec. Vous avez carrément le sentiment que ce type se prend pour un Apollon. Et un vrai don Juan. Je rigole pas. Il se comporte comme si tout d'un coup un dieu grec en minishort faisait une halte sur terre pour apprendre aux « adoleschiants » que nous sommes toute l'importance du cinquante mètres. Le problème, et la raison pour laquelle j'ai obtenu un B, c'est que je ne suis pas convaincue.

Mais à présent, selon mon vampire de père, je dois faire mine de tout gober. Et y croire sans me poser de questions. La honte.

– Faut que je parle à M. Tchétchène.

Shelli est avec moi en gym. Au moins, on peut s'asseoir dans un coin pendant que M. Minishort nous fait son speech sur l'esprit d'équipe ou je sais pas trop quoi.

– Quoi ? Comment ça ?

– Mon père dit que je dois le faire.

– L'ogre ou le vampire ?

– Le vampire.

– Oh…

Même Shelli sait que c'est sérieux.

– Tu penses que je devrais y aller maintenant ?

– J'en sais rien. Son short a l'air encore plus court que d'habitude. Et si son hot dog en sortait pour essayer de te mordre ?

– T'es dégueu ! Tu penses qu'il a une copine ?

– Ouais, c'est Miss Turbation.

– OK, je me lance.

La dernière chose dont j'aie envie, c'est de parler à ce mec, mais vous feriez quoi, vous ? Si j'y vais pas, je vais finir pieds nus et enceinte, et je vivrai dans un parc à mobil-homes avec un type appelé Cletus.

Son bureau est vitré, juste derrière le gymnase. Il est en train de tripoter des tableaux plastifiés et a l'air vaguement paumé.

– Hmm… Monsieur Dushane ?

Il ne m'entend pas.

– Monsieur Dushane ? Je peux vous parler une minute ?

– Comment ? Oh… Bonjour. Oui, que puis-je faire pour toi…

Il ne se rappelle pas mon nom.

– Anika. Je m'appelle Anika.

– Exact ! Exact. Je le savais. Donc… en quoi puis-je t'être utile, Anika ?

– Eh bien, je voulais vous parler de mon relevé trimestriel. J'ai obtenu un B.

– Oui ?

– Eh bien, je me demandais quel conseil vous pourriez me donner, dans la mesure où vous êtes considéré comme l'un des professeurs les plus motivants et tout ça… Je me demandais donc si vous pouviez me donner un conseil pour que je fasse mieux et, vous voyez, que j'aie un A.

– La question n'est pas d'obtenir un A ou un B.

– Monsieur Dushane, je n'ai jamais eu de B auparavant dans ma vie. Ça m'est interdit, OK ?

– Je vois.

– Alors je veux juste vous demander comment je peux m'améliorer en EPS, et je cherche vraiment un conseil auprès de quelqu'un qui semble ne rien laisser au hasard.

Ne rien laisser au hasard ? Qui parle comme ça ? Je suis en train de muter ou quoi ?

– OK, OK, Anika. Tu dois t'appliquer. Tu dois réfléchir, quand cela te paraît sans espoir, quand tu commences à fatiguer dans le six cents mètres, tu dois te dépasser et te donner non pas à cent pour cent, mais à cent dix pour cent. Tu vois ce que je veux dire ?

Quel abruti.

N'importe quelle pub Nike pourrait me donner ce genre de conseil.

– Oui. Oui, monsieur Dushane, je comprends. Je tiens vraiment à vous remercier. Ça compte beaucoup pour moi, vous savez.

Il hoche la tête, prend un air rassurant mais ferme. Un air de mec. De sportif. Que prennent aussi les hommes politiques, j'ai remarqué. Histoire de transmettre le message : « C'est comme ça qu'il faut faire et on peut le faire ! »

Les mecs disent tellement de conneries.

OK, je retourne vers Shelli.

– Qu'est-ce qu'il a dit ?

– Que son hot dog avait envie de te rencontrer.

23

La mère de Shelli est passée la prendre aujourd'hui, parce qu'elle l'emmène direct à Spring Youth. Non mais, Spring Youth, vous vous rendez compte ? Si vous ne savez pas ce que c'est, imaginez le tableau : une vingtaine de jeunes vont chez la chef pour manger des cookies, boire du punch et chanter des chansons. Les paroles sont projetées au mur, écrites au stylo pour que vous puissiez chanter en chœur. La chef, ou son mari, joue de la guitare. C'est super sympa et tout le monde s'amuse comme des petits fous. Ensuite, la chef, ou un orateur invité, se lève et se met à parler de Jésus-Christ notre Seigneur et notre Sauveur. À la fin de chaque séance, vous êtes invité, si vous y tenez, à vous lever et à clamer haut et fort : « Je m'appelle Machin-Chose et Jésus-Christ est mon Seigneur et mon Sauveur. »

Comment je peux savoir ça, vous allez me dire ? Il se trouve que j'ai participé à une de ces *Jesus parties* et je suis donc bien placée pour savoir que c'est super sympa, jusqu'à ce que Nerdlinger, notre chef Spring Youth du coin, se lève et se mette à parler de Jésus. Ils devraient juste s'en tenir aux chansons et au punch.

Quoi qu'il en soit, aujourd'hui c'est au tour de Shelli d'essayer de faire son one-woman-show de chrétienne, mais je suis certaine qu'on va pas lui remettre un oscar pour le nombre de mecs qu'elle a sucés près de l'aire de jeux.

Le plus drôle, c'est que Spring Youth organise un séjour annuel de ski meilleur que celui du lycée, si bien que j'ai déjà passé toute une semaine avec ces gens-là, à skier à Steamboat Springs, Colorado, et à écouter les leçons de Jésus-Christ notre Seigneur et notre Sauveur, lesquelles étaient données par Nerdlinger et d'autres larbins coincés du même acabit venus des quatre coins du Midwest. Une chose est sûre à propos de ces mecs, ils ont tous l'air d'avoir absolument rien de mieux à faire.

À la base, si vous faisiez le casting d'un film et aviez besoin de trouver quelqu'un pour le rôle d'un paisible solitaire, qui sort éventuellement un jour du placard et décide d'abattre tout le monde au Taco Bell local, ben ce serait ce type-là. Et ses larbins. Heureusement, ils ont trouvé Jésus, sinon on serait tous mal barrés.

Je dois dire qu'au bout d'une semaine de ski, à écouter les larbins coincés de Nerdlinger parler de Jésus, et à chanter du folk dans l'immense salle en bois, au beau milieu de la station… ça m'étonne un peu de ne pas m'être levée en déclarant avoir trouvé Jésus. Je suis sûre qu'il était pourtant là quelque part.

Bref, à présent c'est au tour de Shelli d'être endoctrinée, alors cet après-midi je dois me taper quatre pâtés de maisons à pied toute seule, jusqu'à ce que Logan déboule sur son scooter et me sauve de l'air frisquet d'octobre. Et quand je dis « frisquet », je veux dire « glacial ».

Mais lorsque Logan se gare le long du trottoir, j'ai l'impression qu'il n'est pas content. Il me regarde avec un air de chien battu.

– Quoi ?

– Rien.

– Hmm… C'est clair qu'il y a un truc qui va pas, alors…

– C'est juste que… j'en sais rien. J'ai entendu dire que tu sortais avec Jared Kline, maintenant. Alors c'est comme ça que ça marche ?

– Quoi ? Non. Tu rigoles ?

– Ben… tout le monde disait que t'as quitté la soirée avec lui.

– J'hallucine ! C'est genre un million de pour-cent pas vrai. Écoute, je peux juste…

– OK, laisse tomber.

– Mais c'est même pas vrai ! Jared Kline est un baratineur. Tout le monde le sait. Tu penses que je vais tomber dans le panneau ?

– J'en sais rien.

– *Tu le penses ?*

– Ben… t'en as envie ?

– Si j'ai envie de craquer pour Jared Kline, puis de me faire larguer par lui et devenir la risée de tout le monde ? Euh… non.

– Ouais, mais si toi, tu le fais craquer ? Est-ce qu'il te plairait ?

– Logan. De quoi tu parles ? Je fais le mur pour te rejoindre toi et tout ça. Alors ça veut rien dire ?

– Je sais pas, peut-être que t'as juste besoin de quelqu'un pour te véhiculer jusque chez toi.

– Pff… Ouais, et j'ai surtout besoin de faire le singe sur un arbre en pleine nuit, uniquement parce que j'ai promis de te retrouver.

Il finit par me regarder en face.

– Écoute, je suis désolé. Il se trouve que ça me plaît vraiment de traîner avec toi et de faire des trucs… alors quand j'ai entendu ça… Je sais pas. J'ai failli péter un câble.

Mais voilà que tout à coup un bruissement se produit dans les arbres et qu'une fille nous surprend, alors qu'on est pas censés être surpris. Personne n'est au courant pour nous, jusqu'ici. Et j'espère plus ou moins que personne ne le sera pendant un petit moment. C'est juste que je sais pas comment gérer ça. Comment m'en sortir avec Becky. C'est comme une partie d'échecs. Il y a trop de pièces qui bougent.

Et là, soudain, la fille surgit d'entre les arbres.

Stacy Nolan.

Ouf ! Au moins c'est pas celle-qu'on-ne-nommera-pas.

– Hmm… Salut !

– Salut, Stacy. Quoi de neuf ?

– Oh, j'ai juste… entendu quelqu'un et…

– Tu rentrais chez toi ?

– Ouais.

Ça craint. Ça veut dire que je vais devoir soit faire le chemin avec elle, soit admettre, face à quelqu'un d'autre que Shelli, que je rentre en scoot avec Logan. C'est pas bon. Plus il y a de gens au courant, plus tôt Becky risque de l'être.

– Ben, je peux marcher avec toi, j'imagine…

– Ouais, ouais. OK. Cool.

Logan me lance un regard. Ça ne lui plaît pas. Mais d'un autre côté, qu'est-ce que je suis censée faire ? C'est pas comme si on était vraiment en couple à cent pour cent. On se passe des messages secrets, je veux dire. On a traîné deux ou trois fois ensemble. On s'est roulé des pelles deux fois. Sérieux.

Je sais bien que vous tenez une comptabilité, espèces de pervers. Le fait est que jusqu'ici ça s'est limité à des bisous et à deux flirts poussés, on va dire. Logan n'a pas l'air trop pressé, ce qui est plus ou moins agaçant parfois, en fait.

Sans parler de toute cette histoire avec Jared Kline. Bon, ouais, c'est vrai que Jared Kline est un beau parleur. Véridique.

Mais… et c'est le truc que j'ai pas envie d'admettre : si Jared Kline était follement, passionnément, éperdument amoureux de moi… je suis certaine que je pourrais peut-être tomber amoureuse de lui aussi, un petit peu. Bon, OK, beaucoup.

Tout ce que je sais, c'est que lorsque j'étais dans cette bibliothèque lambrissée avec lui… j'avais l'impression de me trouver à bord d'un vaisseau spatial ou un truc comme ça. Ben ouais, il ne ressemblait pas du tout à la description que les gens font de lui. Il paraissait, je sais pas, gentil… d'une certaine manière.

Le problème dans tout ça, c'est que ça se résume en gros à du fantasme.

Je ne vais pas vous mentir. J'ai l'impression d'être la reine des rêveuses. Par exemple, au Bunza Hut, quand je suis juste assise là huit heures d'affilée à regarder le bout de mes chaussures et à encaisser des frites, j'ai vite fait de me mettre à rêvasser sur la vie en Islande, ou sur la probabilité d'épouser un duc, ou ce que ça doit faire d'habiter un endroit vraiment bizarre comme dans le Pacifique Sud, sur une île quelconque dont personne ne connaît vraiment l'existence, sauf les gens du coin. Des trucs comme ça, quoi.

Vous comprenez maintenant pourquoi je dois piquer dans la caisse pour rester concentrée.

Bon, Logan démarre et Stacy Nolan se met à marcher à côté de moi pour effectuer ce long, long trajet jusqu'à la maison dans le froid glacial et, franchement, ça craint un peu. Ni elle ni moi ne savons quoi dire, en fait.

– Hé… Donc, je voulais te dire…

– Ouais ?

– J'ai trouvé que c'était vraiment sympa ce que t'as fait pour moi. Pas beaucoup de gens auraient agi comme ça. Franchement.

– Oh, c'était pas grand-chose.

– Si, ça l'était. Crois-moi.

– C'était même pas vrai, alors, je veux dire, ça m'a un peu aidée, en un sens.

-- Je sais !

On attaque la colline. Des maisons et des maisons de banlieue alignées, l'une derrière l'autre, mais on peut voir notre haleine dans le froid. Mes parents veulent ma mort, c'est clair.

– C'est un peu bizarre, non ?

– Quoi ? De quoi tu parles ?

Je suis à deux doigts de rêvasser, elle a intérêt à faire vite.

– Ben… tu ne te demandes pas qui a lancé cette rumeur ?

– Si, j'imagine.

– Moi, c'est sûr que je me pose la question.

– Bon, alors réfléchissons. T'as des ennemis ou je sais pas quoi ?

– Comment ça ?

– Je sais pas, moi, t'as pas joué un sale tour à quelqu'un ? Peut-être que tu ne t'en es même pas rendu compte jusqu'à ce qu'il soit trop tard ou un truc dans le genre ?

– Hmm… Laisse-moi réfléchir…

On continue de marcher et maintenant on commence carrément à geler. Le soleil descend entre les arbres noirs clairsemés, et les feuilles par terre – rouges, marron, orange – sentent le brûlé. On a dépassé la maison de Shelli et je ne peux m'empêcher de me demander si elle est déjà devenue une chrétienne régénérée.

– Il n'y a pas quelqu'un ? Je veux dire, c'était peut-être juste un truc débile.

– J'en sais rien. Le fait est que… je ne suis pas comme toi. Je veux dire, les gens s'en fichent de moi. Ils se moquent de ce que je peux faire. Je sais pas, moi, c'est comme si j'étais invisible, tu vois.

– Vraiment ?

– Eh ouais. Tu sais… aussi bizarre que ça puisse paraître, toute cette rumeur sur moi, c'était la première fois que la moitié du bahut découvrait même mon existence.

– Non, j'hallucine.

– Ben si. T'hallucines pas.

Le fait est qu'elle dit la vérité. Et je ne sais même pas pourquoi. Je ne sais même pas qui invente ces espèces de règles tacites sur les gens ou les choses qui doivent être importants à nos yeux. Tout ça revient à lancer des spaghettis sur un mur. Personne ne sait lesquels vont y rester collés.

– Ben moi, je savais qui tu étais.

Comme si ça pouvait l'aider ! Mais qu'est-ce que je suis censée dire ?

– Merci. De toute manière, tu m'as sauvé la mise et ne crois pas que je l'oublierai.

On marche toujours et le soleil est vraiment en train de tirer sa révérence. L'autre règle tacite, c'est que je ne vais pas l'inviter chez moi et qu'elle ne m'invitera pas chez elle. Aucun problème. On peut pas être la meilleure copine de tout le monde. Mais maintenant elle pense que je suis plus ou moins quelqu'un de bien et j'ai pas le courage de lui apprendre qu'au fond de moi c'est de la soupe d'araignées. Il vaut mieux que je me tienne éloignée d'elle pour qu'elle ne le découvre jamais.

Au loin, j'entends vrombir le scoot de Logan et je me dis… que je me sentirais mal de la décevoir.

24

Ce dîner va être le plus pesant de mon existence. Sérieux. Je sais pas ce qui m'est passé par la tête.

Bien sûr, ma mère pense que c'est absolument génial et que je suis Mère Teresa ou je sais pas qui, juste parce que j'ai invité « cette jeune fille noire » à dîner. Carrément bizarre. Un peu comme si j'avais donné à ma mère l'occasion de se sentir concernée par un truc pour la première fois depuis toujours. À croire qu'elle a bu trop de café ou un truc comme ça.

Elle virevolte dans la cuisine en faisant ceci ou cela, sort tel et tel plat, me demande de couper tel ou tel légume. J'ai comme l'impression qu'elle est possédée. Même mes horribles frangines l'ont remarqué. Et ça ne les enchante pas. Lizzie, en particulier, est furax. Un aperçu de la conversation :

– Maman… Neener et moi, on a un rencard ce soir, alors…

– Oh, non non non. Pas ce soir. Ce soir, nous avons une invitée *très spéciale* à dîner. Vous dînerez avec nous et vous vous tiendrez comme il faut à table.

– Une invitée spéciale ? C'est quoi, le *Tonight Show*, comme à la télé ?

124

– Non, ma chérie. Ta petite sœur a eu un geste vraiment gentil. Elle a tendu la main à quelqu'un, quelqu'un vers qui la plupart des gens n'iraient pas.

Je regarde vers le ciel en quête de conseils, mais ne vois que le plafond de la cuisine.

– Maman, c'est quoi ton problème ?

– Tu sais quoi ? continue-t-elle. J'aimerais que vous deux traitiez votre petite sœur avec plus de respect, parce que si vous ouvriez bien les yeux… vous verriez que c'est quelqu'un de vraiment bien.

Pour le coup Lizzie n'ouvre pas les yeux, mais les roule d'un air agacé.

– Bon, c'est quoi, genre… une SDF ?

– Non, Lizzie. Ce n'est pas une personne sans abri. C'est une adorable jeune fille d'origine afro-américaine.

– Une fille noire ?

– Oui, ma chérie, une fille noire.

– Où elle a bien pu rencontrer une Black ? Je pensais qu'on n'en avait pas au Nebraska.

– Au Bunza Hut, dis-je en marmonnant.

– Sérieux ?

– Oui, gazouille ma mère. Elle étudie à Lincoln High, alors elle n'est pas vraiment du « bon côté de la barrière », comme on dit, mais c'est une fille charmante et il est bien possible que sa mère ne lui donne pas assez à manger.

Lizzie me regarde. Bon sang, bon sang, si elle avait une mitrailleuse à la place des yeux !

– Miss Perfection a encore frappé.

Neener ne dit rien. Elle se contente de reproduire la haine de Lizzie en se tenant derrière elle. Si ma mère ne se trouvait pas là maintenant, elles me cloueraient au sol en deux secondes et me cracheraient dessus. Mais ma mère n'en démord pas.

– Maintenant, s'il te plaît, tu enfiles quelque chose de correct pour dîner.

– C'est quoi qui va pas dans ma tenue ?

Lizzie regarde sa tenue. Un jean et un tee-shirt de concert par-dessus un tee-shirt thermique à manches longues.

– Ce qui ne va pas, c'est que nous n'allons pas couper du bois, nous allons passer un agréable dîner, autour d'une jolie table, avec notre jolie porcelaine et notre plus joli sourire.

– Bon sang…

Neener et Lizzie regagnent leur chambre et baragouinent un truc du genre : « Tout ça pour une Black ? »

Je reste là et j'aide ma mère à couper des carottes.

– Maintenant, ma puce, je veux que tu les tranches dans le sens de la longueur, et finement aussi, parce que je vais faire une julienne de carottes.

Mais là on est mal, parce que l'ogre vient de débarquer.

– C'est quoi, ce binz ?

– Nous avons une invitée spéciale ce soir. Dîner à 7 heures. Pile.

– Pourquoi aussi tard ?

On parle d'un mec qui a nettoyé son assiette sur le coup de 6 h 30 tous les soirs. Juste à temps pour *La Roue de la fortune*.

– S'il te plaît, dîner à 7 heures.

– Bon, et qui c'est ?

– Une fille qui travaille avec Anika.

– Au Bunza Hut ? En quoi c'est spécial ?

Au tour d'Henry d'entrer, avec son classeur, et il jette un œil pour voir ce qu'il y a au four. Henry ne dit jamais rien, mais quand il le fait, ça compte :

– Elle est noire.

Puis il disparaît dans sa chambre pour se remettre à étudier. Il va se bousiller les yeux à force de bûcher autant. S'il ne rentre pas à Harvard, on va tous le surveiller de peur qu'il ne se suicide.

– Tu fais tout ce cinéma pour une négresse ?

– WADE !

– Enfin, quoi, ça ne te semble pas un peu trop ?

– Wade, ne prononce PAS ce mot dans cette maison. J'y tiens.

– Quel mot ?

– Tu sais bien lequel.

– Tu veux dire « nnnééé » …

– Wade, je ne plaisante pas. Tu sais ce que j'en pense. Et devant les enfants, en plus !

Il rigole.

– Bon sang, où est passé ton sens de l'humour ?

Il ouvre un placard, attrape un sachet de popcorn au caramel, puis va dans sa tanière merdique de seigneur et maître.

– Et ne te coupe pas l'appétit !

– Oui, m'ame Sca'lett !

Il nous laisse, maman, la julienne de carottes et moi.

– Désolée que tu aies dû entendre ça.

– Euh, maman… Flash info : c'est un abruti.

Ma mère soupire, puis secoue la tête.

– Maintenant, tu dois mettre le beurre avant le jus d'orange.

Elle sort une poêle et la pose sur le feu. Au même instant, je prends deux décisions. Primo, je ne ferai jamais la cuisine pour un mec qui grogne et dit des mots insultants. Deuzio, le vampire a raison. Si je n'obtiens pas des A, je vais me retrouver coincée ici, et si je me retrouve coincée ici, je vais me suicider.

25

Je pédale vite, vite, vite, c'est maintenant. C'est maintenant que j'approche et tout est calme, tout est calme et tout, les arbres, les feuilles, le trottoir, tout retient son souffle et attend.

Je pédale vite, vite, vite, les arbres se penchent, essaient de me protéger, de m'attraper, de m'empêcher de voir. Les feuilles et le trottoir filent à toute vitesse. Ils chuchotent entre eux… Faut pas qu'elle voie. Faut pas qu'elle voie. Empêchez-la. Empêchez-la. Le panneau stop m'implore quasiment, arrête-toi, fais demi-tour, rentre chez toi, rentre chez toi tout simplement.

Je pédale vite, vite, vite, c'est maintenant la dernière fois que je suis cette fille. C'est le dernier moment avant que tout change et passe du rose au violet, puis au noir, et rien n'est comme avant, rien ne sera plus jamais comme avant.

26

La soirée ne se passe pas bien.

Mais c'est pas ce que vous croyez. La seule personne qui se comporte normalement, c'est Tiffany. Tous les autres flippent à mort. Surtout ma mère. Mais elle flippe dans le bon sens, pour la bonne cause, au moins. En fait, elle se comporte un peu comme une mère de sitcom qui en fait des tonnes pour être sympa face à un invité exceptionnel. Elle en rajoute tellement côté courtoisie que ça devient lourd. Par exemple : « Wade, pourrais-tu, *je te prie*, me passer la julienne de carottes ? Merci *infiniment.* » Normalement, ces phrases se limiteraient à : « Toi ! Les carottes ! »

J'ignore au juste pourquoi ma mère agit comme ça, mais je crois qu'elle surcompense à l'extérieur parce que au fond d'elle-même elle sait à quel point personne d'autre à table n'est franchement ravi de ce dîner spécial-après-les-cours que leur petite sœur débile leur a imposé.

Comme mes deux pénibles frangines, par exemple, regroupées d'un côté de la table : on dirait deux chauves-souris bien teigneuses prêtes à descendre en piqué pour dévorer les entrailles de tout le monde. Mon frère irréprochable, Robby, est la deuxième personne la plus normale. Il mange et attend juste que tout ça se déroule avec un sourire béat mais légèrement amusé. Rien de surprenant, vu qu'il réagit comme ça tout le temps. Un jour, la Grande Faucheuse se présentera à sa porte et il haussera les épaules en disant : « Ouais, OK. C'était sympa comme existence. On va où, maintenant ? » Henry se comporte bizarrement. Sérieux. Mais bon, en quoi c'est nouveau ? Tranquille. OK. Soucieux. OK. Regard fixe. OK. Bon, si Robby avait ce comportement, on appellerait l'ambulance, mais c'est l'état naturel d'Henry, alors R.A.S.

Et l'ogre, vous vous demandez ? Eh bien, sa manière à lui de gérer ce dîner insoutenable consiste à remplir son assiette au maximum et à engloutir la bouffe le plus vite possible, sans croiser le regard de quiconque. S'il lève la tête, il regarde ma mère, roule des yeux, avant de s'enfiler vite fait une nouvelle bouchée de purée de pommes de terre.

Pauvre maman.

– Dis-moi, Tiffany, j'aimerais savoir si vous êtes traitées correctement chez Bunza Hut. J'ai bien tenté d'interroger Anika, mais impossible d'obtenir une réponse directe de sa part.

– Maman, qu'est-ce que tu t'imagines, franchement ? C'est le Bunza Hut.

Tiffany se fait un plaisir de répondre :

– Oh, ce n'est pas si terrible. Ils nous laissent boire les milk-shakes.

– Oh, vraiment ?

– Les restes de milk-shakes.

Silence. On ne comprend plus rien.

J'interviens, histoire d'atténuer la confusion générale.

– On doit faire le milk-shake dans cette espèce de coupe argentée et il en reste toujours, une fois qu'on l'a transvasé. Alors on a droit à ça.

Au tour d'Henry de prendre la parole :

– Dans ce cas, est-ce que vous ne pourriez pas faire plus de milk-shake ?

– Ben, c'est le cas. À la base, on en fait deux fois plus, si bien que chaque fois que quelqu'un en commande un, on en a un gratuit.

Je suis tellement fière de moi.

– Donc, vous volez le patron.

C'est l'ogre qui vient de parler. Évidemment.

Tiffany a l'air de rougir. Voler, c'est pas son rayon. C'est le mien.

– Ma foi, j'espère seulement que vous n'abusez pas de ce privilège, dit ma mère qui se sent obligée de transformer ça en une espèce de leçon de vie.

– Oh, maman, ce type est un abruti total. Et il est genre super friqué. T'as vu sa maison sur Sheridan Boulevard ? Sans parler du fait qu'il a dit à Shelli qu'elle était grosse.

Henry la ramène :

– Sa maison sur Sheridan vaut un million deux cent soixante-seize mille dollars.

Silence.

Robby, à présent :

– À ce stade, on ne compte plus.

– Maman, ce mec craint vraiment. Tu devrais voir la manière dont il parle à Shelli ; il la maltraite, pour ainsi dire. C'est horrible.

L'ogre, maintenant :

– Elle travaille là-bas ?

Maman :

– Wade…

– J'ai demandé : est-ce qu'elle *travaille* là-bas ?

Bon sang, je déteste l'ogre.

– Oui. Elle travaille là-bas.

– Alors, c'est lui le patron. Il peut faire ce qu'il veut.

Moi :

– Sympa. Sympa comme philosophie. Et s'il voulait lui couper la tête ou lui bouffer les chevilles ou je sais pas quoi… il pourrait le faire aussi ?

Wade hausse les épaules. Tous les autres regardent leur assiette. Soudain, voilà qu'on sonne à la porte. Tout le monde est surpris, sauf Tiffany.

Maman va ouvrir et prend sa plus belle voix façon Doris Day.

– Bonsoir, en quoi puis-je vous être utile ?

Mais la personne sur le perron n'est pas du tout sur la même longueur d'onde.

– Tiffany ! Sors d'ici tout de suite !

Bien sûr, maintenant toute la tablée, toute notre tablée de rivalités entre frangines, de petits ricanements, et l'ogre aussi, se tourne pour regarder.

La mère de Tiffany n'est pas de bonne humeur. De plus, on dirait que c'est la première fois qu'elle sort du lit aujourd'hui. Rien qu'à la regarder, j'ai le cœur brisé pour Tiffany. Elle qui est si méticuleuse, adorable, ordonnée… Maintenant je comprends que c'est peut-être en réaction à ce qui se passe chez elle avec sa mère.

– Tu sors d'ici. Tout de suite !

Tiffany est rouge de honte. Bon sang, si seulement je pouvais soulager sa peine. Aussitôt on est tous du côté de Tiffany. Je le sens bien. Toute la famille, alors qu'on était tous agacés par ce dîner chichiteux… eh ben, on est prêts à accueillir Tiffany comme l'une des nôtres.

Viens vivre chez nous, Tiffany. Une de plus ou de moins, qu'est-ce que ça fait ? Même l'ogre a l'air moins ogre. Il s'est redressé. Il a envie d'aider. Mais comme nous tous, il est désarmé.

Maman tente d'arranger les choses.

– Voudriez-vous vous joindre à nous, il y a plein de…

– Madame, je peux me débrouiller toute seule.

Maman hoche la tête. Je vois bien qu'elle réfléchit. Mais qu'est-ce qu'elle peut bien faire ? Est-ce qu'elle peut faire quoi que ce soit ?

– Vous pensez que je ne suis pas capable de me débrouiller toute seule ?

– Non. Non. Pas du tout. Je me disais juste que vous pourriez peut-être…

– Eh bien, vous vous trompiez, madame. TU VIENS maintenant, Tiffany ! Je ne te le répéterai pas !

Tiffany s'éclipse de la salle à manger et rejoint sa mère.

– S'il vous plaît, ça nous ferait plaisir de…

– Bonsoir.

À ces mots, Tiffany, avec ses petites socquettes blanches et son adorable jupe bleu marine, a disparu. Pour retrouver ce petit immeuble dégueulasse en crépi, avec cette mère à-peine-sortie-du-lit, et on reste tous assis là, frappés de stupeur.

Il y a un long silence.

Maman revient à table et se met à ramasser les assiettes. Lizzie et Neener me regardent. Lizzie prend la parole.

– Hé, Anika. Ça craint. On savait pas.

– Moi non plus, en fait.

Silence.

Au tour de Neener :

– Pauvre Tiffany.

Henry, maintenant :

– Je l'ai trouvée très jolie.

133

Silence. OK, si vous cherchiez le silence le plus tranquille et le plus bizarre des États-Unis… eh bien vous l'avez trouvé. Juste là dans cette salle à manger, entre le buffet en chêne et le coin petit déj en cèdre.

À présent Robby se met à glousser.

– Eh ben voilà !

Lizzie et Neener émettent des bruits bizarres, pas vraiment des sifflets, mais plus du genre : « Ooooooh, Henry est amoureuuuuux ! »

Mais c'en est trop pour l'ogre.

– NE T'AVISE PAS. N'y pense même pas, Henry ! lâche-t-il en pointant l'index.

Du coup, bien sûr, Lizzie et Neener deviennent complètement cinglées : elles gloussent, se moquent et ricanent. Robby enlève son assiette, sourire aux lèvres, et Henry a le visage rouge homard.

– Vous êtes débiles.

Henry enlève son assiette en secouant la tête.

– Je vous jure, si je ne vais pas à Harvard, je me jette du haut d'un pont.

Il retourne dans sa chambre, agacé.

– Ouais, le pont des amouuuuuurs !

Réplique très fine, gracieusement offerte par Neener.

L'ogre lève les yeux au ciel, quitte la table et regagne lourdement sa chambre, où il va s'allonger sur son matelas à eau et écouter *La Roue de la fortune*, à tue-tête puis le *Tonight Show*, puis les dernières infos. Je pose la question :

– M'enfin, c'est quoi, le « pont des amours » ?

Maman est en train de ranger les restes. Elle me regarde par-dessus le Tupperware. Elle n'a pas besoin de dire quoi que ce soit. Elle me lance juste le regard universel qui signifie : « Au moins on a essayé. »

On a essayé quoi, au juste ? De dîner avec une personne noire ? De faire comme si on n'était pas qu'une maisonnée remplie de gens plutôt merdiques ? On a essayé de penser un peu moins à nous. On a essayé de lever le nez de nos obsessions débiles et de s'intéresser aux autres. On a essayé d'être ouverts, pour une fois. On a essayé de ne pas être une autre famille vaguement raciste. On a essayé d'être des gens éclairés. On a essayé d'être des gens bien.

On a essayé d'être toutes les choses… qu'on n'est pas.

Aujourd'hui au Bunza Hut, je suis chargée de mettre en place la déco de Halloween. Il y a deux squelettes, un pour chaque porte, et tout un tas de citrouilles dont je suppose qu'elles serviront aussi pour Thanksgiving. Pour le moment, elles ont des têtes dessinées dessus.

Derrière le comptoir, Shelli peaufine son contour des lèvres. Les lundis soir sont assez tranquilles, car presque tout le monde au Nebraska est accro au foot, alors ce soir c'est comme si c'était férié. Bien sûr, des gens passent par téléphone des grosses commandes à emporter et à manger dans leur salon, leur salle de jeux ou leur sous-sol aménagé, tout en regardant le match entre mecs, mais sitôt que celui-ci commence, on pourrait aussi bien se croire à la fin du monde. Ce soir les Bears jouent contre les Packers. Gros duel. C'est aussi un match qui va couper en deux le cœur de la ville car, pour l'essentiel, Lincoln, Nebraska, est rempli de supporteurs des Packers ET des Bears. Ouais, Chicago est plus proche, mais bourrée d'un tas de citadins qui se la pètent, et la moitié des gens d'ici ont des parents dans le Nord et le Wisconsin. Pourquoi vous pensez que tout le monde est blond dans cet État ? Celui-ci aurait pu aussi bien s'appeler Scandinavie numéro 2. Voire Allemagne-bis… *Cette fois sans les nazis* ! Il y a environ cinq noms de famille allemands dans mon bahut : Krauss, Hesse, Schnittgrund, Schroeder et Berger. Et c'est pas inhabituel d'avoir un oncle prénommé Ingmar.

Si ça vous intéresse, sachez que je suis une fan des Packers. Désolée pour le reste du monde. Mais franchement, je vous plains de ne pas être fan de cette équipe.

Bon… ces squelettes ne sont pas faciles à installer. D'abord, ils sont trop lourds pour ce rouleau de Scotch et, ensuite, ces portes vitrées gelées n'ont pas l'air de vouloir qu'on leur colle quoi que ce soit dessus. Shelli ne m'aide pas.

– Je pense que tu devrais larguer ce Logan.

Shelli a toujours su trouver les mots.

– Comment je pourrais le faire ? Je ne sors même pas avec lui.

– Sérieux. Et si Becky le découvre ?

– Peu importe. Attends… Comment elle va le découvrir ?

– J'en sais rien.

– Tu lui as dit ?

– Quoi ? Non.

– Shelli, sérieux… tu lui as dit ?

– Non… je ne l'ai pas fait.

– Ben alors, ne lui dis pas. Même si elle te demande ou quoi que ce soit.

– Je sais, je sais.

– Tu peux me donner un coup de main avec ces squelettes débiles ? Ils veulent pas tenir.

Shelli soupire et me rejoint, tout en glissant son crayon à lèvres dans sa poche.

Alors on est là toutes les deux à batailler avec ces squelettes effrayants-mais-pas-trop sur la porte glacée, quand tout à coup :

– J'hallucine !

– Quoi ?

– Anika. C'est pas vrai…

– Quoi, bon sang ?

– Retourne-toi.

– Sérieux. Tu me fous les jetons.

– Retourne-TOI.

Ce que je fais. Et c'est là que je le vois.

Jared Kline descend de sa Jeep et se dirige tout droit vers le Bunza Hut, tout droit vers la porte, tout droit vers nous.

– Jésus, Marie, Joseph. Qu'est-ce qu'on fait ? Qu'est-ce qu'on fait ?

– On reste cool. On reste cool.

Derrière moi, Shelli tremble comme une feuille, et moi-même, je ne suis pas si à l'aise que ça.

Jared nous voit et nous fait un petit signe de la main. À peine.

Un peu comme un hochement de tête, sauf que c'est sa main.

La porte s'ouvre.

– Salut.

– Salut.

Shelli regarde en silence Jared qui plante ses yeux sur moi. Elle enfonce ses ongles dans mon bras, comme des minicouteaux en forme de C.

– Vous êtes débordées, à ce que je vois !

– Ouais, euh… J'imagine que tout le monde regarde le match, alors…

– Dans ce cas, ça veut dire que j'ai un peu de chance.

Shelli me poignarde carrément le bras avec ses ongles, à présent.

– Donc… t'aimes pas le foot… ?

– Sans plus.

Haussement d'épaules.

Ce qui fait que Jared est le seul mec au Nebraska qui ne vénère pas le ballon.

– Et toi ?

– J'en sais rien. C'est sympa de temps en temps, j'imagine.

– Aaaaah ! Laisse-moi deviner… t'es une fan des Packers.

– Quoi… comment tu sais ça ?

Impossible de ne pas sourire. Je suis démasquée, mais Jared est tellement canon que je suis peut-être tout bêtement folle de joie.

– Parce que c'est genre « vieille école ». Ils forment un peu une équipe à l'ancienne, quoi.

– OK. Tu m'as eue.

– Vraiment ?

Il sourit, maintenant. Ce mec est doué. Il sait vraiment comment faire rougir une fille.

Shelli me donne un coup de coude, pas trop subtil.

– Oh, voici mon amie Shelli.

– Salut Shelli.

– Saaaluuut….

Shelli dit bonjour d'une façon carrément bizarre. C'est comme si on essayait de faire parler un ballon dégonflé.

– Sinon, je peux commander un truc ou bien… c'est juste une opération « déco de Halloween » ?

– Ha, ha ! Très drôle.

À ces paroles, on laisse Shelli grelotter près de la porte avec les squelettes. Je suis maintenant derrière la caisse et je me dis plus ou moins que j'aimerais bien venir d'une famille où on n'a pas besoin de travailler. Comme Jared.

– T'es mignonne dans ton petit uniforme.

Il lit dans les pensées ou quoi ?

– Ah ouais ? Tu ne trouves pas que j'ai l'air d'un œuf de Pâques ?

– Non. Je pense que t'as l'air de me dire que je devrais te demander de m'épouser.

PATATRAS !

C'en était trop pour Shelli. Elle a lâché le squelette, la boîte de déco et le rouleau de Scotch. Elle lève les yeux, mortifiée. Jared lui fait un signe de tête, tout sourires.

– Je constate que c'est un lieu de travail dangereux.

– Ouais. OK, donc… des frites ou peut-être… ?

– J'aimerais un Bunza au fromage. Des frites. Une canette de Dr Pepper…

– Oh, t'es plutôt Pepper, toi ?

– Ouais. Je suis un Pepper[1]. T'aimerais pas être un Pepper, toi aussi ?

Je ne peux pas m'empêcher de rigoler avec ce mec. Il est trop drôle. Ça m'étonne un peu. Je pensais que c'était un petit con. Mais qu'il soit comme ça ? C'est pas juste.

– OK… et un milk-shake.

– Vraiment ?

– Ouais. Un milk-shake. À la place du Dr Pepper. Oh… et toi aussi. J'aimerais un rencard avec toi. Samedi soir.

Ah ben… merde alors !

– C'est pas vraiment sur la carte ou quoi.

– Je sais. C'était nul. J'essayais juste de me la jouer subtil.

Comme par hasard, Shelli accroche la déco de plus en plus près de nous.

Il murmure :

– Je crois que ta copine nous espionne.

– Ben, évidemment. T'as l'air d'un criminel.

Il sourit.

– Allez… Sérieux. Tu sors avec moi. Samedi soir.

– Quoi ? Impossible. Je suis carrément jamais allée à un rencard. Genre… je sais même pas si mes parents m'autoriseront.

---

1. Pepper signifie poivron. (NDT)

– Et si je leur parlais ? Si je leur demandais ? Si je venais chez toi et demandais respectueusement à ton père…

– C'est pas mon père, mais mon beau-père.

– … respectueusement à ton beau-père, et à ta mère, ta main… le temps d'un rencard.

– Je rêve… t'es carrément cinglé.

Mais je souris. Surtout parce que je peux même pas croire que c'est en train d'arriver. Si Becky était là, elle en crèverait.

– Je crois que ma copine Becky craque pour toi, en fait…

– Ta copine Becky est une personne horrible, qui doit sans doute boire chaque matin le sang de petits enfants.

– Waouh. C'est drôlement précis.

– OK. C'est bon. Je demanderai à ta mère. Avec respect. Et à ton beau-père.

Shelli nous mate, planquée derrière une citrouille. Ses yeux ont la taille de la citrouille.

– Sérieux ? Tu parles sérieusement ?

– Je suis sérieusement sérieux.

Il sort, toujours le sourire aux lèvres.

– Hé, attends ! T'as oublié ton…

Shelli me regarde, de l'autre côté de la salle. Elle murmure, alors qu'on n'est plus que toutes les deux.

– Anika ! Anika !

– Il a oublié sa bouffe…

– Anika, tu sais ce que ça veut dire ?

– Qu'il va revenir ?

– Non. Non. Ça veut dire que… enfin, je pense… que t'es peut-être la fille la plus populaire du bahut, maintenant !

28

Shelli estime peut-être que je vais tout d'un coup me retrouver numéro 1, mais elle se trompe. Sur toute la ligne. Mais c'est sympa de sa part, et ça me flatte.

En fait, tout ça veut dire que Becky, quand elle sera au courant, va se pointer chez moi, me trancher les membres, me les enfoncer dans la gueule, avant de me couper la tête. Je le sais comme je sais que le ciel est bleu, les feuilles, vertes et le sport, saoulant.

J'essaye d'étudier dans ma chambre, ce qui n'est pas facile quand vous sentez que vous serez bientôt découpé à la hache. Maman, en mode Mère Noël, m'apporte du lait et des cookies. Je devine déjà ce qu'elle va me dire.

– Ma puce, ne veille pas trop tard…

Je le dis en même temps qu'elle. Maman a raison. J'ai juste l'habitude de repousser mes devoirs jusqu'au tout, tout dernier moment.

– Tu as eu des nouvelles de Tiffany, ma puce ?

– Quoi ? Non… elle ne bosse pas avant mercredi.

– Oh. Ma foi, j'espère que tout va bien.

– Moi aussi, maman.

Elle reste là encore une seconde.

– Oh ! J'ai failli oublier. Quelqu'un a laissé quelque chose pour toi… Attends, je reviens…

Elle sort en trombe et maintenant je suis vraiment intriguée. Personne n'a jamais rien déposé pour moi auparavant. Je ne pense même pas que quiconque sache même où j'habite.

– Tiens. Ça ressemble à un cadeau, j'imagine.

C'est un coffret minuscule. En velours noir. Entouré d'un petit ruban blanc.

Mon cœur fait un bond.

– Eh bien, tu ne vas pas l'ouvrir ?

– J'en sais rien, maman. Ça vient de toi ?

– Non. Non, ma puce. Je te le jure, quelqu'un l'a simplement déposé. Les garçons l'ont trouvé, en fait. Sur le perron.

– C'est tellement bizarre. OK, je me lance…

Je défais le nœud, puis soulève le couvercle.

Waouh !

C'est un petit collier en or avec mon nom gravé dessus en lettres cursives. Anika. Des lettres fluides.

– Waouh. Trop cool !

– On ne s'est pas moqué de toi, dis donc ! Attends, je vais te l'attacher.

Ma mère vient derrière moi et actionne le fermoir. Maintenant on observe toutes les deux le bijou.

– Alors… tu sais de qui ça provient ?

– Quoi ? Il n'y avait pas une carte ou quelque chose ?

– Non. Ça reste un mystère.

Ma mère et moi regardons le collier dans le miroir. Il est chic. Il est cher…

– OK, maintenant tâche de te mettre au lit. Tu veux bien ? Sinon, j'aurais l'impression de ne pas faire mon travail de mère.

– Oh, maman ? Personne ne t'a jamais dit que t'étais un vrai chou à la crème transformé en être humain ?

Ma mère sourit et regagne la porte.

– Ah… toi et ton imagination débordante…

– Bonne nuit, maman.

– Bonne nuit, ma puce.

29

Au lycée, la première à repérer le collier, c'est Becky. Tu m'étonnes.

– Joli. Tu l'as eu où ?

– Oh… ma mère. Elle pensait que…

– Mouais. C'est joli. C'est ton anniversaire ou quoi ?

– Non, il se trouve que… Elle m'a dit qu'elle l'avait vu et qu'elle avait pensé à moi.

– Elle a vu un collier marqué « Anika » ? Comment ça, à la boutique « spéciale Anika » ou quoi ?

– Non, je veux dire qu'elle l'a vu sur un présentoir avec des colliers à prénom et elle a pensé à moi.

– Bon, peu importe…

Shelli se tient près de moi. Elle sait que je mens. Je le sens bien.

– C'est génial. J'aimerais bien que ma mère me fasse ce genre de surprise…

– Shelli, le seul collier que ta mère va t'acheter, c'est un crucifix en sautoir.

Becky, comme d'hab, dit la vérité.

À mon tour :

– OK, Shelli, je t'achèterai un crucifix.

Shelli me sourit. Elle sait que je suis de son côté. Qu'on est toutes les deux dans cette galère.

– Bon sang, les filles, qu'est-ce que vous attendez pour prendre une piaule ensemble ?

Ça rend Becky furax de voir que Shelli et moi sommes proches. Elle a envie de diviser pour mieux régner, de toutes les manières possibles. Elle est tarée, cette fille.

La sonnerie retentit et les élèves se mettent à détaler comme des fous dans des directions différentes. Bien sûr, je tombe sur Logan.

– T'as eu le collier ?

– Quoi ?

Je jette un coup d'œil autour de nous et constate que personne ne prend note de cette rencontre.

– T'as eu le collier ? J'en ai déposé un. Chez toi.

– Oh ! Ouais, regarde ! Je l'ai autour du cou.

J'ignore pourquoi j'ai l'air étonné. J'imagine que j'étais pas sûre qu'il venait de Logan ?

Il me regarde avec des yeux de cocker et je me sens carrément débile, mais je ne sais pas pourquoi.

– C'était vraiment gentil de ta part. Merci. Merci beaucoup.

Il sourit. Deuxième sonnerie.

– Faut que j'y aille.

Il file au détour du couloir et je reste plantée là. Je serai en retard en physique et réalise que je suis la plus grosse imbécile de la terre entière parce que, pour une raison complètement dingue… Ne riez pas… Bon voilà, j'ai cru que le collier venait de Jared.

30

Mesdames et messieurs, je suis paumée.

D'un côté, il y a Logan qui, même si c'est un paria au bahut, est vraiment cool et intelligent, avec une façon de penser que j'ai jamais connue chez quiconque jusqu'ici. Puis, d'un autre côté, il y a Jared Kline, rock star, top du top, et la seule personne au monde qui puisse me protéger de Becky Vilhauer. Je veux dire, c'est comme essayer de départager James Dean et Elvis. Sérieux, qui pourrait choisir ?

Ma culpabilité m'a guidée tout droit vers un dîner chez Logan.

Si vous vous demandez où habite Becky par rapport à Logan McDonough, ben la réponse est… juste de l'autre côté de la rue. Je sais. Scénario catastrophe. Le seul point positif, il y a l'équivalent d'un terrain de foot entre la maison et le trottoir, parce que les Vilhauer avaient besoin de place pour installer des arbres, un mur, une fontaine, et d'autres trucs… histoire de coller la honte au reste du quartier.

Alors, même si Becky se trouve quasiment à deux pas de notre petit dîner sympa, j'ai pas trop peur. Et par « pas trop peur », je veux dire que j'ai seulement vérifié trois fois que personne ne m'a vue, depuis mon arrivée.

Et puis, il y a d'autres choses qui me foutent la trouille. Genre la famille de Logan. Sa mère, d'abord, qui, à ce que je peux en voir, a les doigts collés à son cocktail. C'est une jolie blonde avec une énorme bague en diamant et tout ça. Mais il y a quelque chose de triste chez elle. Quelque chose de résigné. Comme si le poids de cette pierre gigantesque et étincelante la clouait au sol. Ensuite, il y a les deux petits frères de Logan, Billy et Lars, qui ont respectivement trois et six ans. Ils pourraient jouer dans une pub pour céréales, tellement ils sont mignons. Billy, surtout, un petit blondinet aux yeux bleu azur. Ensuite, il y a Logan et moi.

Et enfin, le plat de résistance… le père de Logan.

Il a l'air du genre de mec qu'on essaye plutôt d'éviter. Un vrai smiley ambulant. Effroyablement sympa. Avec une tchatche d'enfer. Il n'arrête pas de parler. Ce mec ne la boucle jamais, je veux dire. Depuis le début du repas, qu'il a commandé chez le traiteur. Sans déconner. Ils ont même envoyé un mec en tenue de cuistot pour nous servir. Il a déjà dû le faire, parce que le mec en tenue de cuistot sait deux ou trois trucs : 1) où se trouvent les plats de service et 2) veiller à ce que le verre de la femme soit toujours plein.

Enfin quoi, ce dîner, un mardi soir comme les autres, qui n'est même pas férié ou du style, a dû coûter une fortune. Genre le budget bouffe de ma mère pour un mois complet. Apparemment, c'est naturel chez lui. Pendant qu'il monologue sur la manière dont il prévoit de triompher des restrictions d'urbanisme dans ses nouveaux projets, Logan se penche vers moi et me glisse :

– Il aime bien frimer.

Mais le père de Logan ne supporte pas qu'on l'interrompe.

– Qu'est-ce que tu racontes, fiston ? Tu veux le faire partager à toute la tablée ?

– Je disais juste à Anika que t'étais super doué en matière d'immobilier.

– Oh… j'expliquais donc qu'on attend encore les permis de construire. Ça ne devrait pas tarder. Putain de municipalité.

Au tour de la mère de Logan d'intervenir :

– Pas devant les petits, s'il te plaît.

Silence.

Le père revient à la charge.

– T'as raison. Je devrais l'épeler. Ces P-U-T-A-I-N-S de permis de construire sont une P-U-T-A-I-N de perte de temps !

Il pose violemment son verre sur la table et, comme dans un jeu de bascule, alors que sa main s'abaisse, la mère de Logan se lève. Elle attrape gentiment les deux petits garçons, embrasse Billy sur le front, alors qu'il se love contre elle comme un koala. Lars reste tout contre elle aussi et se cramponne à sa jambe. Elle repose même son verre, ô miracle, et s'empresse de faire monter les gamins à l'étage.

Logan lève les yeux sur sa mère et on voit bien, maintenant, quelle personne il adore plus que tout au monde. Il veut la sauver de cette *chose*, assise à l'autre bout de la table. C'est tout aussi clair.

Mais le papa ne se démonte pas. Il continue encore et encore jusqu'à la fin du dîner, et même pendant le dessert. Le plan d'urbanisme, les permis, la putain de bureaucratie, tous ligués contre lui pour l'engloutir sous la paperasse. Lorsqu'il nous conduit dans son sous-sol aménagé, il s'est enfilé environ six whiskies.

Les employés du traiteur débarrassent et nettoient. La mère de Logan s'est retirée dans sa chambre, on entend le son étouffé de la télé en haut des marches. Et les deux petits frères, Lars et Billy, attendent là-haut que Logan vienne les border, ce qu'il fait chaque soir, j'imagine. Et, franchement, il marque des tas de points sur ce coup-là !

En bas, le maître des lieux est fier de son placard à flingues ou peu importe comment ça s'appelle. Une vitrine, je crois. Ma mère flipperait à mort si elle me voyait dans cette pièce. Sans déconner.

Le père de Logan montre du doigt chacun de ses objets précieux, une litanie de noms plus ou moins menaçants, victorieux. Et tous, à l'évidence, ont été inventés dans les salles de réunion des fabricants d'armes, où un panel de types s'assoient sans doute autour d'une table et lancent des noms qui donneront l'impression aux mecs d'avoir un plus gros sexe.

Logan est complètement gêné par son père, qui frime avec chaque fusil, en donnant son nom et le genre d'animal qu'il a tué avec.

Oh, j'ai oublié de vous parler du nombre insensé de « trophées » de cerfs, d'oies et de sangliers qu'il expose dans sa cave. Pour ne rien vous cacher… j'ai commencé à compter il y a cinq minutes, et j'ai perdu le fil. Pour vous dire qu'il en a un wagon !

En ce moment, il me montre une arme que je pense avoir vue dans *Rambo*.

— Tu vois, c'est une pure merveille. Bushmaster AR-15 semi-automatique. Tu veux la tenir ?

— Papa…

— Je pose la question à ta copine, merci.

— Hmm… non, monsieur. Merci.

— Tu ne sais pas ce que tu perds. Tu veux voir autre chose ?

Il va sortir un autre flingue de la vitrine, quand Logan intervient à nouveau.

— OK, papa, on doit vraiment…

Et ça se produit tellement vite. Ça arrive avant même que je sache que ça pourrait se passer et avant même que je puisse y croire.

Le père de Logan lui colle une baffe du revers de la main, tellement fort que ça laisse une marque.

Silence.

Au-dessus, les employés du traiteur font tinter l'argenterie, mais ici, au sous-sol, silence total.

Le père de Logan le regarde avec son œil d'ivrogne qui le met au défi. *Défends-toi si tu l'oses, fiston. T'as envie de te battre ?*

Il souffle comme un bœuf.

– J'ai *dit* que je m'adressais à ta copine.

Il n'y a rien à ajouter. Enfin, il y aurait un million de choses à dire, mais je ne peux pas en sortir une seule.

Logan lève la tête, la main sur la joue. La marque du coup part de la mâchoire à l'oreille.

– Merci, papa. T'as toujours le chic pour laisser une bonne impression.

Logan monte au rez-de-chaussée et je ne peux pas lui en vouloir.

Maintenant, je me retrouve toute seule avec Rambo.

– Excuse mon fils, Anika. Sa mère n'a pas réussi à lui inculquer les bonnes manières.

– Je… je… euh…

– Mais je parie que tu comprends pourquoi un homme peut être fier de ce genre de collection, dit-il en revenant à la charge. Non, mais il suffit de la regarder ! Tu sais tout ce que représente cette vitrine en termes d'attention et d'investissement ?

Je hoche la tête, puis :

– Désolée, monsieur McDonough, mais je dois rentrer chez moi à temps… J'avais la permission de minuit.

À ces mots, il sourit, ramasse son flingue ridicule de dessin animé, et je crois bien que ça annonce mon départ. Oui, c'est mon signal de départ, sans l'ombre d'un doute.

Je gravis l'escalier avec le sourire le plus mal à l'aise du monde. Pas de mouvements trop brusques. En haut des marches, je me tourne vers ce bon vieux papa. Il est assis là sur son tabouret avec son scotch et son Bushmaster. Au fait, joli nom, Bushmaster. J'imagine que ce flingue fait de lui le « maître de la brousse[1] ».

Il sourit tout seul, un sourire terne dans le vague. Ses yeux sont vitreux. On dirait qu'il parle tout seul, mais aucun son ne sort de sa bouche. Quoi qu'il marmonne dans sa tête, je vous parie que c'est un coup de gueule parano contre le gouvernement, la liberté, nos pères fondateurs et comment il va un beau jour sauver le monde.

Bref, j'imagine que Logan me bat côté mauvais père.

Il est en haut des marches et m'attend.

– Désolé, Anika.

– Quoi ? C'est toi qui es *désolé* ? Non. 'Tain, je suis… je sais même pas quoi di…

– Ouais. Ça fait l'effet d'une douche froide.

On remonte au premier. Il y a deux escaliers, un pour les « domestiques », j'imagine, et un pour les gens censés être importants. J'attends sur celui des domestiques, tandis que Logan va border Billy et Lars pour la nuit. Je suis terrifiée à l'idée que son père remonte par l'escalier-des-gens-importants avec ce flingue débile pour petite bite. Heureusement, ces marches offrent une espèce de refuge. Pas énorme, en fait, mais au moins c'est quelque chose. Sa mère se planque

---

1. Le nom de son arme est aussi celui du *Lachesis muta*, crotale à losange (serpent venimeux).

aussi. Sa porte est fermée, la lumière bleue de la télé filtre par-dessous la porte.

Je voix bien pourquoi elle garde son verre rempli. Je vais vous dire… je ferais sans doute pareil si j'étais mariée à ce taré.

Si je jette un coup d'œil, je peux voir Logan allumer la petite veilleuse des gamins, un mini-Yoda assorti aux draps Star Wars et aux chaussettes R2-D2 de Billy. Et Billy ne veut pas rendre son dinosaure, mais Logan lui explique que celui-ci doit être au pied du lit pour le protéger. Billy comprend la logique de ce raisonnement et cède.

– Tu vois, ton dinosaure va te défendre comme ça. *Groaaar !*

– C'est un ankylosaure.

– Oh… OK. Ton ankylosaure va te protéger, alors.

– Je peux avoir mon tyrannosaure aussi au pied du lit ?

– Oui, bien sûr. T'as besoin de ton tyrannosaure et de ton ankylosaure. Ils sont de mèche.

Je dois avouer que c'est un gamin de trois ans drôlement futé. Je ne suis pas sûre que j'aurais su dire « ankylosaure » à son âge, et encore moins le reconnaître. Ce sont deux petits garçons tellement mignons, Billy avec sa tête toute blonde et Lars dans son pyjama Spiderman. Leur chambre est remplie de tout ce que les petits garçons adorent. Des trains. Des dinosaures. Des camions. Le *Faucon Millenium* et l'*Étoile de la mort* posés sur l'étagère, prêts pour le combat.

En regardant Logan les border et leur planter chacun un bisou sur le front, je ne peux m'empêcher de me dire que je suis une imbécile et que c'est peut-être bien le mec le plus génial au monde.

Quand j'arrive au boulot mercredi, c'est la cata. J'entre et Shelli me fait un signe de tête pour désigner le bureau, avec le regard universel qui signifie : « On est dans la merde grave. » Je traverse et découvre Tiffany à l'arrière avec le patron et deux flics.

Des flics ? M'enfin, c'est quoi ce… ?

– Anika, pas maintenant. On a un problème.

Tiffany arrive tout juste à me regarder. Elle a l'air paniquée. On devine qu'elle a pleuré.

– Qu'est-ce qui se passe ? C'est quoi, tout ça ?

– Eh bien, si tu veux le savoir… Tiffany ici présente a volé dans la caisse.

La phrase me fait l'effet d'un coup de massue.

Oh non… Pendant tout ce temps je les ai grugés à mort, et maintenant ils pensent que c'est Tiffany ! Parce qu'elle est noire. C'est pas plus compliqué que ça.

– Non, elle n'a rien fait !

M. Baum ricane :

– Euh… Anika ? Je crois savoir quand les dépôts au coffre sont faibles.

Tiffany est assise sur le siège en plastique gris dans le coin, et on dirait qu'elle souffre. Bon sang, c'est atroce ! Je vais devoir tout avouer. Je vais devoir me livrer à la police. Je vais devoir foutre en l'air mon dossier scolaire. Merde alors. Le comte Dracula-bis va m'écarteler. Puis il donnera mon corps aux vautours. Ensuite, il écartèlera les vautours.

– Non. Écoutez. C'était pas elle, je vous le jure…

– Anika, chuuut !

Alors il passe la cassette. Celle de la vidéo qu'ils ont sur la caisse. Et les flics la voient et Tiffany la voit et je la vois. Là, sur l'écran, c'est effectivement Tiffany en train de piquer dans la caisse.

Aucun plan, aucune méthode, rien.

Elle vole au grand jour, basta.

J'en reviens pas. J'en crois pas mes yeux.

Tiffany me regarde, les joues en feu. Je vois bien qu'elle crève de honte.

Elle articule en silence : « Je suis désolée… »

J'articule à mon tour : « Pas de souci… »

J'ai envie de lui dire que ça fait six semaines qu'on vole le restau à mort et que c'est pour ça qu'ils ont pensé à regarder les bandes, alors c'est ma faute, et c'est vrai, d'ailleurs. Tout ça est ma faute.

– Monsieur, vous souhaitez porter plainte ?

– Et comment !

Aaargh ! Quel connard. Faut que je fasse quelque chose.

– Non, attendez ! C'est moi qui l'ai obligée !

– Pardon ?

– Ouais, je l'ai mise sur le coup. C'était nul et c'est moi la fautive.

– Écoute, Anika, c'est gentil de ta part, mais…

— Monsieur Baum, je lui ai dit de le faire ! Je lui ai dit que si elle ne le faisait pas, je la ferais virer. C'était débile, immature et je ne sais pas à quoi je pensais, mais elle ne voulait pas le faire. Je vous le jure. Elle m'a suppliée.

M. Baum me dévisage, toujours pas convaincu.

— Ça ne te ressemble pas, Anika.

— Je sais. Je lui ai dit que c'était comme une initiation. J'étais complètement débile. Je ne sais pas ce qui m'est passé par la tête.

— C'est vrai, Tiffany ?

Tiffany m'interroge du regard. Je hoche la tête le plus discrètement possible.

— Oui, monsieur.

— Anika t'a forcée ?

— Oui, monsieur.

— Pourquoi tu ne nous as rien dit ?

— Je ne voulais pas m'attirer des ennuis.

— Eh bien, elle t'a bien foutu dans la merde, pourtant !

Tiffany hoche la tête. Les flics murmurent un truc à M. Baum. J'arrive à voir Tiffany derrière eux. Nos regards se croisent. Elle articule à nouveau en silence : « Merci. »

Je lui fais un clin d'œil.

Mais ça ne veut pas dire que je ne suis pas grillée. Je suis mal maintenant et ma mère va me tuer. Je vais sans doute être virée. Enfin bon, c'est pas comme si je rêvais de devenir patronne du Bunza Hut…

— Tiffany, tu es virée.

— Quoi ? dis-je en m'étranglant. Mais elle n'a rien fait !

— Anika, reste en dehors de tout ça. Tu en as fait assez, tu ne crois pas ?

— Tiffany, s'il te plaît, prends tes affaires et appelle ta mère. Il est temps de partir. C'est tout.

– Monsieur Baum, je vous en prie…

– Et toi, on va avoir une petite discussion. Suis-moi.

Argh ! Pourquoi je suis venue travailler aujourd'hui ? Pourquoi j'ai pris ce boulot débile pour commencer ? Et même pire. Pourquoi j'ai volé ? À quoi je pensais, franchement ? Bien sûr, M. Baum pourrait porter plainte s'il savait. C'est un petit mec teigneux qui passe ses nerfs sur les autres.

Maintenant, il m'a traînée dans la réserve. Il n'y a plus que nous deux et le stock du Bunza Hut.

– Anika, je sais que tu mens.

– Quoi ?

– Je sais que tu mens pour couvrir cette fille.

– Non, pas du tout.

– Pas de problème. Tu es quelqu'un de bien.

– Vous ne me virez pas ?

– Quoi ? Non. Tu es notre meilleure employée.

Je manque m'étouffer. Bonjour l'injustice ! Si seulement il savait…

– J'aimerais t'offrir une augmentation.

Je devrais cesser de l'empoisonner au Valium. C'est clair que ça affecte les zones de prises de décision dans son cerveau.

– Monsieur, vous ne…

– Arrête. Noël arrive, peut-être que tu pourrais t'acheter quelque chose…

– Vous êtes vraiment obligé de la virer ?

– Oui, Anika. Ces gens-là ont besoin de savoir…

– Ces gens-là ?

– Tu sais bien.

– Euh… Monsieur Baum, uniquement parce qu'elle est…

– Anika. Parfois les stéréotypes existent pour une simple et bonne raison… Écoute. Tu es jeune. Tu ne connais pas encore grand-chose à la vie. Un jour, tu pigeras. Maintenant, retourne travailler. À l'heure qu'il est, Shelli a déjà dû bousiller la caisse.

J'ignore quoi rétorquer à tout ce qu'il vient de dire. Ce que je sais, en revanche, c'est que je suis la plus horrible fille du monde. Pire que la plus minable des amibes sur le ver de terre le plus minable qui traîne autour du marécage le plus minable au monde.

Je retourne à la caisse et Shelli s'approche suffisamment pour murmurer.

– Qu'est-ce qui s'est passé ?

– Ils ont viré Tiffany.

Les yeux en soucoupes de Shelli se transforment en assiettes.

– Pour quelle raison ?

– Pour vol.

Shelli me regarde. Elle sait qu'on est les responsables. Elle ne sait pas quoi penser. Je vois que les rouages sont officiellement bloqués là-haut dans sa tête.

– Ils l'ont chopée sur la bande vidéo.

– Quoi ? Vraiment ?

– Ouais. Je l'ai vue.

– Alors, c'était pas…

– Non. C'était pas…

– Ouf… Je me sens mieux.

– Ben moi pas, parce que sans nous, ils n'auraient sans doute pas remarqué quoi que ce soit.

– Oh.

– Je pense que notre carrière de voleuses s'arrête là, Shelli.

À travers la déco de Halloween, par les portes vitrées, je vois la mère de Tiffany arriver à toute berzingue et donner un bon coup de frein. Pas contente. Tiffany monte dans la voiture et je suis à deux doigts de me précipiter sur le parking pour la faire ressortir et lui dire d'aller chez moi, d'aller voir ma mère, de rejoindre notre famille. C'est pas sa faute. Rien de tout ça n'est sa faute. C'est la mienne. Je suis fautive sur tous les tableaux. Et je le sais.

32

Il fait moins cinq degrés et ma mère me ramène en voiture après mon service. Le soir est déjà tombé et à l'extérieur notre haleine fait de la vapeur.

— Maman, tu crois en Jésus ?

— Quoi donc, ma puce ?

— Tu crois en Jésus ? Genre c'était le fils de Dieu et il a fait des tas de tours de magie, avant de s'envoler au paradis en trois jours ou je sais pas quoi.

— J'en sais rien, ma puce. Les jurés délibèrent encore…

On continue à rouler en blasphémant.

— Mais une chose est sûre, Anika. On récolte ce qu'on sème.

Oh-oh… Je vais faire comme si j'avais pas entendu.

— Comment c'était au travail, ma puce ?

— Oh, tu sais…

— Plutôt calme ?

— Maman, ils ont viré Tiffany.

— Quoi ? Pourquoi ?

— Pour vol.

On est presque arrivées et c'est pas trop tôt. Je déteste le froid. Même dans la voiture, on a les pieds gelés, les orteils transformés en miniglaçons.

– Mais comment est-ce qu'ils…

– On la voit sur la vidéo.

– Oh, c'est affreux. Absolument affreux.

– Je sais. M. Baum pense bien sûr que c'est parce qu'elle est noire.

– Hmm…

– Maman, c'est pas parce qu'elle est noire, c'est parce qu'elle est pauvre. À sa place, je volerais aussi.

– Non, tu ne volerais pas.

– Maman, des tas de gens volent. Des tas. Des gens qui sont même pas pauvres.

Maintenant, on est arrêtées dans l'allée.

– Qui par exemple ?

– J'en sais rien. Des gens.

– Eh bien, quel genre de personnes ?

– Oublie ça.

– Comme toi ?

– Quoi ? Non.

– Écoute. Je ne dis pas que tu le fais ou que tu l'as fait. Je ne suis pas en train de dire ça. Mais si tu le fais, ou tu l'as fait, tu ferais mieux de t'arrêter tout de suite, et j'insiste. Au cas où…

– Mamaaaan.

– Tu veux qu'on porte plainte contre toi ? Tu veux fiche en l'air ton dossier scolaire ? Tu veux rester coincée ici pour le restant de tes jours ?

– Non.

– OK. Alors dans ce cas, n'y pense même pas. J'insiste… OK, ma puce ? Ce n'est pas toi. OK ? Ce n'est pas la manière dont je t'ai éduquée.

Mais elle se trompe. Même si elle a fait tout ce qu'une mère pouvait faire pour que je devienne adorable, à l'intérieur je suis toujours une soupe d'araignées. Et je le serai toujours. Je vais passer le reste de ma vie à dire que je ne le suis pas, que je suis bonne comme le pain, douce comme un agneau, tout sucre tout miel, mais à l'intérieur, à l'intérieur… Ben vous trempez une tarentule dans du chocolat, et c'est plié.

33

Ce qu'il y a de génial avec le mercredi soir, c'est que personne imagine que vous puissiez sortir quelque part. C'est un peu comme le mois de mars de la semaine, il n'y a rien à faire. Logan m'attend au coin de la rue et moi, je fais mes acrobaties habituelles pour passer par la fenêtre et descendre de cet arbre, avant que mes frangines m'entendent et donnent l'alerte. Bon sang, elles adoreraient ça !

On pourrait dessiner un cœur autour de Logan, là debout sous la lune, avec son scooter et son air vaguement boudeur. Quand il me tend son casque, j'ai complètement oublié Tiffany et l'argent et le fait que je vais évidemment me retrouver en taule.

On file ensuite à travers nos petites rues merdiques pour rejoindre le lac Holmes, et il n'y a pas âme qui vive sur des kilomètres. Personne n'est censé traîner dans ce coin à une heure du mat. C'est une ville familiale, voyez-vous ? Ces pédalos et ces pistes cyclables sont strictement réservés à des gens tartinés de crème solaire. On doit se glisser par une brèche dans la clôture à huit cents mètres du hangar à bateaux. Ce parc entoure tout le lac sur environ cinq kilomètres. C'est comme l'attraction touristique d'une grande ville et, même si c'est à deux pas de chez nous, il semble qu'on n'y vienne jamais en famille. Je crois que c'est parce qu'il n'y a pas de télé.

Tandis qu'on marche sur la pointe des pieds dans l'obscurité pour gagner le hangar, j'ai l'impression qu'on pourrait tomber sur un tueur en série, une troupe de morts-vivants, ou peut-être simplement un assassin à la hache tout ce qu'il y a de classique. Logan me tient la main, le scooter est garé derrière nous. Il a pris un sac à dos, alors je devine qu'il a plus ou moins prévu un truc.

On voit les étoiles se refléter dans le lac, lisse comme de la glace et probablement aussi froid. Il fait noir comme dans un four, et je parie que parfois des gens ont dû marcher direct dans l'eau sans faire exprès. Le hangar à bateaux se résume à une sorte de grosse caisse en bois sur un niveau, fermée à clé, mais ça n'a pas l'air d'empêcher Logan de crocheter la serrure avec une épingle.

– Hmm… T'es un agent de la CIA ?

– Oui. C'est la première chose qu'on nous apprend à l'école des espions.

Il parvient à ouvrir la porte au troisième essai et, l'instant d'après, il est dans le petit hangar.

– Reste dehors, juste une seconde.

OK, c'est un peu gênant parce que je commence à me geler à en perdre mes moufles. Le bruit des barques qui cognent le dock, c'est à peu près le deuxième son le plus effrayant de la terre. L'embarcadère s'avance sur une quinzaine de mètres dans le lac et les petites barques y sont arrimées tout du long, comme les feuilles accrochées à une branche d'arbre.

– OK, OK, t'es prête ?

– Hmm… ouais.

– OK… Ta-da !

Je regarde à l'intérieur et c'est pas tout à fait le Ritz ou je sais pas quoi, mais je dois bien avouer que Logan mérite un A pour l'effort. Il y a quatre ou cinq lanternes dans le hangar, vous savez, comme celles que tiennent les gardiens de phare au visage buriné sur les tableaux, avec du pétrole ou autre chose pour faire un feu continu qui ne vous crame pas les oreilles. Il y a une petite table au milieu avec une lanterne posée dessus et une espèce de pique-nique, du raisin, du fromage, de la bière. Vous vous dites peut-être que ça fait un peu frime à bon marché, mais Logan a l'air drôlement fier de tout ça, et si vous voyiez son regard et ses yeux, vous auriez envie de vous enfuir avec lui à l'aube, même en Oklahoma.

– Waouh… Je sais pas trop quoi dire…

– Pourquoi dire quelque chose ? T'es pas obligée…

– OK.

Il recule une chaise pour moi et je m'assois, me sentant soudain gênée, ou inquiète, ou comme si un truc allait clocher et qu'il allait se rendre compte que j'en valais pas la peine après tout.

– Qu'est-ce qui ne va pas ?

– J'en sais rien. J'ai juste envie de te plaire, j'imagine.

– Mais tu me plais. Pourquoi tu penses que j'ai fait tout ça ?

– Je sais, mais c'est comme si… En fait, j'ai envie que tu continues à m'apprécier, tu vois ?

– Autrement dit, tu t'inquiètes d'un truc qui n'existe pas… ?

– Ouais, c'est un peu ça.

À l'extérieur, les barques oscillent et grincent contre l'embarcadère.

– Tu pourrais gâcher toute ta vie à t'inquiéter, tu sais ?

– Comment ça ?

– Ben… si un beau jour tu te retournes sur ton passé et que tu te dis : « Merde… ça fait quatre-vingts ans que je ne fais que m'inquiéter… »

– Ouais, je vois.

– Écoute, t'es pas là pour ramasser un A+, jouer la fille cool ou je sais pas quoi. Tu dois juste être là avec moi.

Je ne sais toujours pas vraiment quoi dire. Sauf que c'est parfait.

Et je le regarde et c'est comme si c'était le héros, mais un genre de héros sombre, et moi, je suis l'ingénue, et d'une seconde à l'autre il va me soulever dans ses bras et la musique va démarrer et le mot « FIN » va s'inscrire sur l'écran avant que le générique se mette à défiler.

Il se penche, et on est juste sur le point de s'embrasser, et le feu d'artifice va éclater et l'orchestre se mettre à jouer.

Sauf que…

Il y a du bruit dehors, le ponton qui grince, et c'est pas le son des barques amarrées. C'est un bruit de pas.

Alors la musique du film s'arrête et les projecteurs s'éteignent et l'écran devient tout blanc, et les lumières de la salle s'allument et les spectateurs râlent, parce qu'ils se sont fait avoir.

C'est un bruit de pas lourds qui s'approchent.

– Hé ! Qui c'est qu'est là-dedans ? Sortez de là ! Allez, sortez.

C'est pas une voix sympa. Et pas une voix de la ville non plus. C'est celle de quelqu'un qui sort d'une cabane quelque part en pleine cambrousse.

Logan me fait signe de rester tranquille et se tient à la porte.

– Je peux vous aider ?

– Oui, tu peux m'aider. Je suis le gardien, bordel, et tu peux aider le gardien en foutant le camp d'ici.

– OK, voilà ce qu'on va faire, monsieur. Vous me laissez faire et je rentre chez moi. C'est promis.

– Je t'ai dit de foutre le camp et je rigole pas.

– Moi non plus, monsieur. Laissez-moi juste deux secondes…

Mais la porte s'ouvre et le mec est dans le hangar.

Il a le visage rougeaud, des cheveux roux et des taches de rousseur. À croire qu'il fait la pub pour la couleur rouge-orange. Il a une parka, des Rangers, et je sens son haleine depuis la table. Whisky. Je ne peux pas lui en vouloir, j'imagine. Qu'est-ce qu'il peut bien faire d'autre, à traîner autour du lac Holmes chaque nuit avec personne à qui parler, à part les lampadaires ?

Il fait aussi la pub pour les poils qui poussent dans des endroits bizarres. Genre dans ses oreilles. Et son nez. Pour tout vous dire, ça m'étonne qu'il n'en ait pas qui lui sortent des yeux. Le seul endroit où il n'a pas des poils mutants, c'est sa bouche. Parce que sa bouche fait la pub pour les postillons en pagaille, qui jaillissent aux commissures des lèvres. Une bouche joyeuse sur une gueule rouge de troll en parka.

Je jurerais presque que ce type s'est enfui de la prison du comté, mais il a le logo du lac Holmes sur son anorak, et donc le droit de nous engueuler.

Puis il me voit et il y a un truc qui change. Maintenant il regarde l'intérieur du hangar, les lanternes, le pique-nique et il sifflote.

– Tiens, tiens… On dirait que les amoureux sont de sortie…

Logan s'interpose, fait barrage, comme pour l'occulter de mon champ visuel.

– On va s'en aller maintenant, ne vous en faites pas.

– Oh, je m'en fais pas. Plus du tout.

Par-derrière, je vois les épaules de Logan frémir.

– J'ai dit qu'on s'en allait.

– OK. Allez-y.

Il se tient à la porte et monte la garde, tandis que Logan et moi, on se dépêche de foutre le camp du hangar à bateaux de ce troll poilu. On pourrait presque nous prendre pour des araignées à la manière dont on tend les bras pour attraper, ranger et emballer tout le fourbi, histoire de se tirer avant que ce truc sinistre et mauvais qui plane dans l'atmosphère nous tombe dessus.

On franchit la porte en passant devant Pue-le-whisky et tout se passe comme sur des roulettes, sauf que Pue-le-whisky décide de jouer les poètes à mes dépens.

– C'est une jolie petite chatte que t'as là.

Il dit ça et avant de finir sa phrase, ou avant que je pige, ou que je puisse me débarrasser de ces mots, Logan lui colle un coup de rame sur la tête. Le mec la reçoit en pleine figure et il tombe sur l'embarcadère dans un bruit sourd.

Je suis déjà en train de courir avant qu'il ne se relève et c'est évident que Logan court à mes côtés, qu'il remonte la colline et repasse à travers la clôture, sauf que j'entends cette rame qui cogne *Paf ! Paf ! Paf !* Alors je me retourne et Logan n'est pas là.

Non, Logan n'a pas quitté le quai, et il soulève et abaisse, soulève et abaisse cette rame comme s'il maniait une hache d'armes. Et ce mec fait toujours la pub pour la couleur rouge, c'est sûr, mais maintenant c'est un rouge profond, un rouge brique, non seulement sur le visage, mais sur les oreilles, le long de son cou, dans le cèdre de l'embarcadère, au plus profond des planches en bois et jusque dans l'eau au-dessous.

Le mec peut à peine remuer, je veux dire. Il peut pas faire grand-chose hormis se balancer d'avant en arrière sur les genoux et émettre un son comme s'il suppliait.

Et vous pourriez croire que Logan serait satisfait de voir un troll à moitié mort se traîner à ses pieds comme un poisson qui se débat, à l'agonie, mais il continue.

Il continue de frapper.

– Arrête ! ARRÊTE ! PUTAIN, MAIS QU'EST-CE QUI TE PREND ? ARRÊTE !

C'est ma voix, mais les mots s'échappent de mes lèvres sans que je puisse les contrôler.

C'est ma voix, mais c'est comme si on avait coupé le son, parce que Logan ne m'entend pas. Non seulement il ne m'entend pas, mais il ne s'arrête que lorsque l'homme est étendu, face contre terre sur le ponton, tel un poisson vidé.

Logan le contemple, souffle de la vapeur, et lance la rame à l'eau.

Puis il me regarde.

Bon sang.

L'homme remue sur l'embarcadère, à peine, pousse un gémissement étouffé, mais heureusement, il est en vie !

Logan gravit la butte pour me rejoindre et je ne sais pas quoi faire. Qu'est-ce que je suis censée faire, bordel ? Je dois courir ? Me jeter dans ses bras, l'embrasser en disant : « Mon héros ? » 'Tain, qu'est-ce que je suis censée faire avec Pue-le-whisky qu'il a tabassé et qu'il a tabassé pour moi, en plus ?

Je file à travers les arbres en essayant de me glisser par la clôture avant Logan, en essayant de voir si je peux rentrer chez moi, peut-être que ce sera plus long à pied, mais peut-être que c'est ce que je mérite ou je sais pas quoi.

J'entends Logan derrière moi. Il grimpe la colline en courant, essaye de me rattraper.

– Anika !

Il y a environ un milliard de choses que je pourrais dire, mais je pense que la meilleure façon de les dire, c'est de simplement me barrer et laisser tomber tout ça. Non, sérieux, si ce mec meurt ou je sais pas quoi, je veux dire ? Et le pire, c'est que Logan n'avait même pas l'air de réaliser… ce qu'il faisait. À quel point c'était affreux.

Comme cette baffe qu'il a reçue dans le sous-sol.

Comme son père.

Je veux dire, même l'ogre, qui a décidé de passer sa vie à m'ignorer et de faire en sorte que j'aie l'impression d'être un parasite sur un crabe, eh bien il ne ferait jamais, jamais un truc pareil. Ça ne lui viendrait même pas à l'esprit. Peut-être qu'il augmenterait sa dose de popcorn ou de *Roue de la fortune*, mais jamais il ne me collerait une gifle qui laisse illico une marque sur la joue.

Moi pareil, ça ne me viendrait pas à l'idée.

Mais Logan, ça lui est venu.

Non seulement ça lui est venu, mais il est passé à l'acte. Résultat des courses, il y a un poisson éviscéré et imbibé de whisky qui gémit, étendu sur le ponton.

Et on est en droit de se demander… S'il est passé à l'acte… qu'est-ce qu'il pourrait encore faire ? Qu'est-ce que pourrait encore faire cette personne, cette personne que je croyais connaître, que je croyais douce, que je croyais gentille, érudite, raffinée, ce Logan que j'ai presque embrassé comme dans une scène de film, et dont je me disais que j'étais peut-être plus ou moins amoureuse ?… Allez savoir ce qu'il camoufle encore ? La clôture est encore trop loin et je cours et j'arrive plus à respirer.

– Anika ! Arrête !

Il m'a rattrapée et je ne peux même pas le regarder.

– Arrête. Calme-toi. OK ? Je suis là. C'est moi, OK ?

On est tous les deux à bout de souffle et notre souffle fait de la vapeur dans le froid, comme des petites cheminées.

Je me tourne pour marcher vers la clôture. Pour la première fois de ma vie, je ne sais absolument pas quoi dire, quoi penser, ou quoi faire.

– Anika, je suis désolé. C'est juste que… je voulais te protéger, OK ?

– C'était pas de la protection. C'était de la folie furieuse.

– Allez, quoi…

– Tu as failli le tuer.

– Anika, je voulais pas…

– Écoute, je sais bien que ce mec était un sale type et, crois-moi, c'était carrément dégueu, mais… *qu'est-ce qui vient de se passer, bordel ?*

– OK, je sais. Je sais. T'as raison. Qu'est-ce que je peux dire ? Enfin quoi, ce mec, s'il avait posé un doigt sur toi…

– Mais il ne l'a pas fait. Il ne l'a pas fait.

– Je sais. Je te l'ai dit. J'ai pété les plombs, OK ? 'Tain, j'ai carrément pété les plombs. Parce qu'il t'a dit cette saloperie.

On est là debout tous les deux, en train de reprendre notre souffle, et les étoiles font même pas gaffe à nous.

– Je veux que tu me ramènes chez moi. Je veux juste rentrer, OK ?

– OK.

Il me regarde avec les yeux d'un petit chien qu'on vient de gronder pour avoir mâchouillé le journal. Et j'ai envie de le prendre dans mes bras, de lui dire que c'est OK.

Mais OK, c'est pas vraiment ce que je ressens.

On ne dit plus rien le reste du chemin, à travers les arbres, ou en franchissant la clôture, ou dans les rues où on ne voit personne sur plusieurs kilomètres. On ne dit rien quand je saute de son scooter et lui tends son casque, et quand je grimpe à l'arbre sous ma fenêtre, sans me retourner.

34

Si vous vous pointez à dîner chez moi, ça fait la une des journaux. Les gros titres. Et personne ne pensait faire la une ce soir. C'est juste un jeudi débile, avec du gratin à la mexicaine et d'autres restes du début de semaine. Demain ce sera des bâtonnets de poisson. Lundi, ma mère fera des steaks, a-t-elle dit, ce que je trouve totalement dégueu, mais l'ogre pense que c'est le top. Quand on vit au Nebraska, manger du steak équivaut à manger des oranges en Floride. Le steak est présent partout. Tout l'État, c'est du steak. On pourrait aussi bien avoir une entrecôte sur notre drapeau.

Je sais, je sais, partout ailleurs c'est super classe ou je sais pas quoi. Le truc qu'on mange dans les grandes occasions. Ici… ça veut dire que c'est lundi et tout le monde s'en fout.

Mais ce soir, c'est un peu un soir encéphalogramme plat, il se passe rien. Et après la virée de la veille au hangar à bateaux, tant mieux. Non, ce soir, même mes frangines ne manigancent rien. Robby est à son entraînement de foot. Les Knights jouent contre les Spartans ce week-end. Grand match. Pour le lycée. Tout le monde va y aller, même s'ils ne regardent pas. C'est juste que c'est ce qu'on fait le vendredi soir à Lincoln. Comme les oiseaux qui volent vers le sud pour l'hiver. Jenny Schnittgrund y sera, bronzée de frais. Charlie Russell y sera, avec un nouveau polo de rugby. Les pom-pom girls y seront et se gèleront dans leurs minijupes sur les gradins, en rêvant de leur gloire future en tant que professionnelles. *Oh, un jour, un jour, devenir une vraie pom-pom girl !* On y va tous, en troupeau, au match de foot du vendredi soir, et on se balade et on rigole et on se pèle dans nos jeans, et après, tout le monde rapplique en masse à la pizzeria Valentino. C'est comme une religion ou un truc du genre. Rester chez soi ? Ne pas aller au match ? Waouh ! Ce serait l'anarchie.

(Si vous voulez savoir à quel point la bouffe est authentique chez Valentino, écoutez simplement les serveuses déformer le nom des plats.)

Mais ce soir, au restau Chez Nous, tout le monde engloutit le gratin dans un cliquetis de couverts et d'assiettes. Et tout à coup…

Ding-dong !

On lève la tête.

Ding-dong ! Ding-dong-ding !

On se fige. Genre on se sent coupables ou je sais pas quoi. Peut-être que la police vient nous arrêter parce qu'on est trop saoulants.

Ma mère va ouvrir.

– Bonsoir, je peux vous aider ?

– Oui. Oui, madame. Bonsoir. Désolé de vous déranger. Je m'appelle Jared. Jared Kline. Ravi de vous rencontrer.

La tablée pourrait aussi bien être une sculpture de verre maintenant. On est pétrifiés sur place. Terrifiés. On attend.

Mes sœurs, qui sont toutes les deux allées en cours avec Jared et qui toutes les deux vénèrent le sol où Jared pose les pieds, comme toutes les autres filles de la ville, eh ben mes sœurs échangent un regard. Moi ? Il est là pour moi ? Je veux dire, c'est comme si le mec de la loterie se pointait là avec un chèque de plusieurs millions de dollars.

– Bonsoir, Jared. Ravie de faire votre connaissance. Comme vous pouvez le voir, nous sommes en plein dîner, alors que puis-je faire pour vous ?

– Oui, madame. Désolé, madame. Je me demandais simplement si je pouvais inviter votre fille à sortir avec moi, samedi soir. Si je pouvais avoir votre permission ?

À ce stade, Lizzie et Neener sont carrément en train de faire une crise cardiaque. Je les vois déjà en train de programmer leurs tenues, de se demander laquelle il va inviter. Elles se trancheront mutuellement la gorge pour aller à ce rencard.

Henry lève le nez et réfléchit. C'est l'expérimentation sociologique qu'il trouve fascinante.

– Ma fille ?

– Oui, madame… votre fille…

Si toute la maison pouvait se pencher pour mieux écouter, elle le ferait. *Tu disais, fiston ?*

– Votre fille… Anika.

Bon sang, vous devriez voir la gueule de Lizzie. Elle est à deux doigts de me trucider avec le couteau à beurre.

Henry penche la tête de côté. Voilà un fait nouveau. Et intéressant, de plus. L'ogre fait mine de ne pas écouter. Suffit de lui laisser le reste du gratin à la mexicaine et il sera content.

– Anika. Vous aimeriez inviter Anika.

– Oui, madame. Avec votre permission.

C'est le moment où je suis censée brailler : « Non ! Non ! J'aime Logan ! J'appartiens à Logan McDonough et il m'appartient, et on ne se quittera plus jamais ! »

Sauf que je ne le fais pas.

À vrai dire, je fais tout le contraire.

Je hoche la tête.

Ma tête a hoché. Moi non. Mais ma tête a hoché.

Ma tête est à l'évidence ensorcelée.

– Et où proposez-vous de l'emmener à ce rendez-vous ?

– Eh bien, madame… Il y a la fête de Halloween en ville. Avec des manèges, une maison hantée, ce genre de choses.

– Hmm… Y a-t-il par hasard une promenade en charrette à foin de prévue… ?

– Non, madame. Pas ce genre de promenade.

– Parce que je ne laisse pas ma fille participer à de telles balades avec des inconnus…

– Non, madame. Je ne ferais jamais ça. Je… je me disais juste que la maison hantée pourrait être sympa et les manèges qui font peur… mais sinon, on pourrait faire autre chose, aller voir un film ou…

– Ferme cette foutue porte !

Merci, l'ogre. Tu sais toujours trouver les mots.

Jared passe la tête et voit l'ogre. Il croise mon regard. Et le soutient. En me faisant un clin d'œil.

Mes sœurs fantasment sur la meilleure façon de me découper en tranches pour m'ajouter au gratin. Personne ne sait au juste ce qu'il contient, de toute manière.

– Bien, Jared… J'ai l'impression que votre rendez-vous est fixé. Bonne soirée.

Et à ces paroles, ma mère ferme la porte sur Jared Kline.

Elle revient à table, pose sa serviette sur ses genoux. Bizarrement, ce petit événement l'a fait sourire comme le chat qui vient de manger le canari. Allez savoir pourquoi. Les mères… Parfois elles ont l'air tellement bêtes, soucieuses, marrantes, mais à d'autres moments on a l'impression qu'elles savent tout.

– Qui était-ce, ma puce ? Tu le connais au moins, ce garçon ?

– Ouais.

– Pff…

Mes sœurs ricanent. Elles ont les boules. Elles veulent me voir morte.

Je note dans ma tête que je dois m'éclipser après le repas et verrouiller ma porte avant qu'elles me rattrapent, me clouent au sol et me crachent à la figure. C'est ce que Lizzie préfère. Elle est démoniaque. Et pire même, maintenant qu'elle est en pétard.

– Alors, tu le connais *vraiment* ?

– Ouais.

– Tu le connais ?

À présent c'est Henry qui met son grain de sel, après cette petite expérimentation sociologique.

– Maman, dit-il, c'est à la base le mec le plus populaire de Lincoln, et probablement d'Omaha. Ce serait un peu l'équivalent de Bruce Willis qui se pointerait pour t'inviter à sortir avec lui.

À ces mots, l'ogre grogne. Par jalousie ? Il est vraiment jaloux de la situation hypothétique que mon frère a présentée ?

– Eh bien, si Bruce Willis se présentait à ma porte pour me demander de sortir avec lui, je lui dirais que je suis mariée, merci beaucoup.

– Oh, maman ! Arrête tes salades !

On intervient tous. Mes sœurs lui lancent leur serviette et on se met tous à glousser.

– Je le ferais ! J'agirais comme ça, je vous dis !

– Ouais, maman, et je me transformerais en citrouille si Matt Dillon m'invitait à sortir avec lui.

– Ouais, maman. Si Madonna voulait sortir avec moi, je lui dirais d'aller se faire foutre !

À ces mots, on éclate tous de rire. Sauf l'ogre. Il est super en rogne qu'Henry ait employé « foutre », mais tout devient du coup encore plus marrant, ce qui fait que chacun rit de voir rire l'autre, et même ma mère rigole. Rigole vraiment. Et ça vaut la peine, rien que pour ça.

35

Aujourd'hui, c'est le grand jour de mon six cents mètres super-naze-qui-craint-un-max. M. Dushane, alias Tchétchène, m'a bien fait comprendre que c'était maintenant ou jamais pour ma toute petite personne.

Il me fait un sermon sur le fait que je ne dois jamais abandonner et qu'il veillera sur moi. Soit il a adapté son discours pour votre humble serviteur, soit je le fais craquer. Mais j'en doute. Il bave toujours sur Jenny Schnittgrund. J'imagine qu'il est gaga du mascara à la truelle et de la peau orangée.

Shelli n'en a rien à branler d'obtenir un B en gym, un C ou même un F, d'ailleurs. Sa mère s'en tape. Rien n'a d'importance parce que le Christ va les sauver de toute manière, alors où est le problème ? Elle pourrait aussi bien rester chez elle à manger des bonbons au chocolat devant la série *Papa Schultz*. Mais pas moi. Non.

Je dois me sentir concernée.

Je dois me sentir concernée, car si je récolte un B en EPS, soit le vampire vient me retirer de ce bahut et m'envoie étudier chez les jésuites dans un monastère roumain, soit… soit… je serai condamnée à vie à manger des Cheetos dans un mobil-home, avec mon beauf de mari et neuf gosses qui ressemblent à des figurants de *Mad Max*. On sera pauvres, mais on aura plein d'amour. Et des flingues.

M. Dushane ignore ma maîtrise de l'art de la comédie.

Voici mon plan.

D'abord, j'attaque la course, apparemment inspirée par son petit speech qui m'a fait chaud au cœur.

Ensuite, vers les quatre cents mètres, je deviens poussive, je commence à perdre la foi, à douter de l'existence de Dieu.

Et je bave aussi.

Baver, c'est pas dur. Il suffit de penser à un citron.

Essayez.

J'attends.

…

Vous voyez. Je vous l'avais dit.

OK, troisième étape, le plat de résistance.

Tout en bavant et en chavirant comme une débutante sur le mont Everest, qui manque d'oxygène et flageole à cause de l'ivresse des cimes… je lève les yeux sur M. Dushane.

Je lèverai les yeux sur lui, parce que je sais qu'il me couvera du regard et qu'il se demandera si son sermon a compté ou si le monde n'est rien d'autre qu'un endroit dénué de sens consistant en une série interminable de gestes insignifiants.

Je respirerai trop vite et trop fort.

Je m'écroulerai quasiment par terre.

Je pleurerai.

Mais ensuite… ensuite, je regarderai les yeux de M. Dushane qui me diront « Tu peux le faire ! » et je serai requinquée, non, inspirée ! Je comprendrai soudain ce qu'est la puissance, l'espoir et le triomphe de l'esprit humain. Je serai auréolée de gloire !

Non, mes jambes ne lâcheront pas !

Pas ici ! Pas maintenant !

Pas avec M. Dushane et son speech débile !

Aujourd'hui, M. Dushane m'a sauvée !

Aujourd'hui, M. Dushane a changé la vie d'une ado.

Aujourd'hui, M. Dushane a compté.

Sauf que vers les cinq cents mètres… là où le triomphe de l'esprit humain m'a dépassée, je suis tombée dans un bruit sourd, évanouie.

36

Ouais, j'aurais sans doute dû m'entraîner.

Je veux dire, c'est bien de sortir le grand jeu, mais c'est carrément une autre paire de manches de faire le boulot jusqu'au bout. Ce à quoi je n'avais apparemment pas pensé.

M. Dushane se tient debout au-dessus de moi. Tout comme Shelli, Jenny Schnittgrund et Charlie Russel. Affolement général.

– Anika, Anika, tu m'entends… ?

– Anika, n'entre pas dans la lumière !

(Ça ne peut venir que de Shelli.)

Tout à coup, les cercles flous autour de moi se transforment en visages et M. Dushane est courbé au-dessus de moi comme une tortue terrifiée.

– Anika. Ça va ? Quel jour sommes-nous ?

Oh, je sens que je vais me marrer…

– Qu… ? Quoi… ? Une pomme ?

M. Dushane panique. Il éloigne les élèves. C'est trop important, pour Charlie, Shelli, ou l'Oompa-Loompa. Il ne peut pas avoir de témoins.

– Anika. Quel mois sommes nous ? Sais-tu quel mois nous sommes… ?

J'attends. Je le regarde.

– Taco ?

M. Dushane est officiellement en train de perdre la boule.

– Anika, je veux que tu réfléchisses. Je veux que tu te concentres vraiment. Où sommes-nous ? Dans quel État vivons-nous… Tu peux te souvenir de l'État… ?

Silence.

– Cleveland.

Maintenant M. Dushane est quasiment en larmes. Je ne rigole pas. Il voit déjà son compte en banque rétrécir, sa maison remplie de cartons de déménagement, et sa femme qui le quitte pour l'agent immobilier. OK, j'en peux plus. Ce type est un con, mais même moi, je suis pas diabolique à ce point.

– C'est le Nebraska. On est au Nebraska.

– Exact ! Nous sommes au Nebraska !

Dans toute l'histoire des États-Unis, personne n'a jamais été aussi enthousiaste de prononcer cette phrase.

– Et vous êtes monsieur Dushane. Et puis il y a Shelli… et Charlie… et Jenny.

Au fait, là je suis juste en train de copier la fin du *Magicien d'Oz*. Du plagiat pur et dur.

– Très juste, Anika. Nous sommes tous là. Nous sommes tous là pour toi, OK ?

Je vois Shelli par-dessus les épaules de M. Dushane et elle sait exactement ce que je mijote. Elle me connaît. Elle sait et elle va faire tout son possible pour éviter de rigoler.

– Monsieur Dushane, est-ce que j'ai fini… ? Est-ce que j'ai fini le six cents mètres ?

Je pourrais aussi bien lui demander si j'ai sauvé le monde. Si j'ai repoussé les nazis. Si on a gagné le championnat d'État.

– Je vous en prie, monsieur Dushane. Je vous en prie… dites-moi la vérité…

– Hmm… Anika. J'ai bien peur que tu n'aies pas fini la course. Tu t'es évanouie.

– Je peux y arriver ! Écartez-vous !

À ces mots, je fais une tentative dérisoire, carrément lamentable pour me mettre debout.

– Non, Anika, NON !

M. Dushane contrecarre mon noble projet et me rassoit doucement.

– Anika. Tu n'es pas obligée. Tu en as fait suffisamment.

Et maintenant c'est l'heure du sermon. Maintenant il est en représentation devant la classe.

– Je pense que nous avons tous appris quelque chose aujourd'hui.

Bon sang, si vous pouviez voir la tête de Shelli.

– Je pense qu'Anika nous a prouvé à tous qu'il ne faut jamais abandonner, quoi qu'il arrive… Quoi. Qu'il. Arrive.

La classe regarde, complètement apathique.

– Et tu sais quoi, Anika ? Je vais me rappeler ceci. Je vais me rappeler qu'aujourd'hui… aujourd'hui, c'était *toi* le professeur.

C'est vraiment dur pour moi de garder un visage de marbre à cet instant précis.

M. Dushane m'aide à me relever et à marcher jusqu'aux gradins.

Je l'ai fait. Pas tout à fait comme je l'avais prévu… mais je l'ai fait.

J'ai fait en sorte qu'il se sente important.

Et en regagnant les vestiaires avec Shelli, je ne peux m'empêcher de me demander… si c'est aussi capital pour un type blanc d'âge moyen de se sentir important…

Qu'est-ce qui se passe dans le cas contraire ?

37

Le vendredi soir au Bunza Hut équivaut à l'ambiance d'une ville fantôme. Ben oui, je pourrais me transformer en grenouille et personne ne le remarquerait. Il est 6 heures du soir, et on a vu une seule cliente en trois heures. Et cette dame a juste demandé la permission d'utiliser les toilettes.

Personne ne veut travailler, en raison du grand match. Aux yeux de M. Baum, je passe pour une employée consciencieuse parce que je propose toujours de prendre ce service, mais c'est juste pour m'éviter d'aller au match sans que les gens me prennent pour une communiste.

Je bûche mon anglais renforcé. On étudie en ce moment ce livre sur ce garçon qui se fait virer de pension, et il a vraiment l'air de se foutre de tout. Ça me parle. Je croise les doigts pour que personne n'arrive maintenant, comme ça je pourrais finir. Il ne me reste que trente pages.

Depuis l'incident du hangar à bateaux, j'évite Logan. Je suis censée faire quoi, je veux dire ? C'est pas comme s'il ne me manquait pas ou quoi que ce soit. Il me manque, c'est vrai. Genre la façon qu'il a de baisser les épaules et de se cacher derrière les arbres et je sais pas quoi. Mais j'ai aussi flippé comme une malade. J'ai vérifié dans les journaux, mais il n'y a rien eu sur l'incident. Pour un peu, je me demande presque si tout ça n'était pas une espèce de rêve bizarre. Comme si je l'avais inventé et que je n'avais plus à repenser à cette haleine de whisky.

En revanche, je ne peux pas m'empêcher de penser au père taré de Logan, et du coup j'éprouve deux choses en même temps. D'abord... je plains Logan. Réfléchissez un peu. On se dit forcément que c'était pas la première fois que son père lui collait une baffe. Et son côté protecteur ? Ce regard qu'il posait sur sa mère ? On imagine que Logan intervient constamment pour sa mère et ses deux petits frères. Genre c'est plus ou moins le héros de la maison, vous voyez. Mais d'un autre côté, peut-être qu'il va devenir tout aussi taré. Peut-être qu'il l'est même déjà.

C'est mal et je déteste ça, et c'est pas la faute de Logan, et ça me fout en pétard contre le monde entier et le moindre atome de l'univers.

Mais si j'arrive à me concentrer sur ces pages, j'ai pas besoin de m'en faire. Je peux laisser filer tout ça. Pouf ! Je peux me concentrer sur ce bouquin et du coup ce bouquin devient réel et tout le reste est bidon, et tout le monde s'en fout de toute manière.

Mais j'ai pas cette chance, parce que sur tous les restos du monde, faut que Becky Vilhauer rentre dans celui-ci. Avec Shelli à ses basques.

Elle n'est pas contente. Shelli se tient derrière elle, genre elle aimerait pouvoir se cacher dans son coude.

– C'est quoi ce bordel ? Sérieux ?

– Hmm... tu aimerais des frites avec ça ?

– Ha ! Ha ! Très drôle. C'est quoi, cette histoire avec Logan McDonough ? Sérieux.

– Comment ça ?

– Fais pas l'imbécile. Je sais tout.

– Tout quoi ?

– Les virées en scooter… après les cours… ça te dit quelque chose ?

Becky se penche sur moi comme un vautour. Shelli devient de plus en plus petite à chaque phrase. La seule chose à faire, c'est d'ignorer tout ça.

– Il faisait froid.

– Pff. Pas si froid que ça. Maintenant, je vais être claire avec toi. T'es une sang-mêlé. Sans moi, t'es rien. T'es personne. T'es genre une marginale, une paumée. Une lépreuse.

Je croise le regard de Shelli, qui souffre derrière Becky.

– Ne la regarde pas. Tu penses qu'elle va te soutenir ? Qui m'a raconté ça, d'après toi ?

Shelli tremble littéralement maintenant. Un animal blessé. Je croise son regard et elle baisse les yeux. Coupable.

– Écoute, Becky, franchement, c'est pas gra…

– Oh, mais si c'est grave. Super grave. Tu nous compromets tous. Tu crois que j'ai envie de me faire une réputation en traînant avec des ratés ? Non merci.

– Il n'est franchement pas comme…

– Décide-toi. Soit tu le largues. Soit on *te* largue. Et après, je ne suis plus responsable de tout ce qui peut arriver.

– C'est tellement…

– Point final.

Et maintenant elle tourne les talons, avec Shelli quasiment en laisse. Shelli détale, passe devant elle. Becky se retourne. Un dernier mot.

– Écoute, ça dépend de toi, Anika. À toi de choisir.

À ces paroles, elle franchit la porte vitrée, retrouve l'air glacial. Les squelettes de Halloween me sourient, mais je ne peux pas leur rendre la pareille. Tu parles d'une soirée tranquille !

38

J'aurais dû me douter que Shelli passerait à midi. C'est samedi et elle est là sur le perron, les joues rouges dans le froid glacial. Avec ses joues rouges et ses yeux ronds comme des soucoupes, c'est comme si Frosty le Bonhomme de neige m'attendait là dehors. Ma mère la fait entrer et on descend dans la salle de jeux. On a une table de billard là-dessous, un bar bidon où l'ogre sert de la *root beer*[1] (waouh !), et une cible de fléchettes que j'arriverais pas à atteindre, même si ma vie en dépendait. Normalement, Shelli et moi, on irait dans ma chambre et on rigolerait comme des folles, mais c'est trop intime. Vu qu'elle vient de me trahir, elle n'a droit qu'à la salle de jeux.

– Tu m'en veux ?

Haussement d'épaules. Bien sûr que je t'en veux. Je suis quoi, bon sang ?

– Je suis vraiment désolée.

– Je sais.

– C'est comme si elle m'avait fait cracher le morceau, disons. Ben ouais, elle n'arrêtait pas de poser des questions, des

---

1. Boisson gazeuse nord-américaine sucrée aux extraits de plantes.

questions et encore des questions, et très vite ça rimait à rien, mais elle m'a pas lâchée et j'ai baissé les bras. J'ai juste baissé les bras. Je suis vraiment désolée. Je crains. Je crains. J'ai carrément foiré.

Silence.

Le fait est que… c'est la manière d'opérer de Becky.

– Ouais, je vois.

– Vraiment ?

– Ouais. Je me représente la scène, je veux dire.

– C'était un peu comme si je savais pas ce qui se passait et puis ça m'est sorti de la bouche.

– Je sais.

– Tu me pardonnes ?

– Ben… je vais pas te mentir, j'avais drôlement les boules hier soir. Je veux dire, quand vous êtes parties, j'avais l'impression qu'on m'avait donné un coup de poing dans le ventre ou je sais pas quoi.

– Je sais. Je suis vraiment désolée. Je savais même pas qu'on allait là-bas jusqu'à ce qu'on y soit. Tu connais Becky. C'était comme une attaque en douce. Attends, je sais !

Soudain Shelli est surexcitée. Elle a une idée. C'est rare.

– Je sais comment rattraper le coup avec toi. Je vais te dire un truc que je ne suis pas censée te répéter.

– Ah ouais ?

– Ouais.

– OK.

– OK… Tu te rappelles cette rumeur sur Stacy Nolan ? Qu'elle était enceinte ?

– Ouais ?

– C'était Becky.

– Quoi ?

– Becky a lancé le truc.

– Quoi ? Arrête.

– Je t'assure.

– Mais… pourquoi ?

– Pour rigoler.

– T'es sérieuse ?

– Complètement. Stacy n'a rien fait à Becky. Becky s'em-
merdait… c'est tout.

– Quelle salope !

– Je sais.

– C'est tellement mauvais de sa part.

– Je. Sais.

Shelli et moi, on se dévisage d'un air incrédule et il y a autre
chose dans nos yeux… de la peur. Si Becky a pu faire un
truc pareil sur un coup de tête, imaginez un peu ce qu'elle
pourrait nous faire.

C'est terrifiant. Je sais maintenant pourquoi Shelli a cédé.
Elle connaissait, encore mieux que moi, la véritable nature
du monstre. Pour être honnête, j'aurais flanché moi aussi.

– Sinon, tu me pardonnes ?… S'il te plaît ? T'es ma meilleure
amie.

– Ouais. C'est bon. Je veux dire, j'étais en pétard, mais je
comprends. Je te pardonne.

On se serre maladroitement dans les bras l'une de l'autre. J'ai
jamais été douée pour ça. Franchement, je préfère une poi-
gnée de mains. Moins j'ai de contact avec des humanoïdes,
mieux c'est. Mais Shelli est sincère. Je le sens bien. Ça n'a
jamais été une menteuse. Note à moi-même : ne plus rien
dire à Shelli. Pas parce que je suis en rogne. Juste parce qu'elle
est sans défense face à Becky. Becky lui tirera les vers du nez.
Quoi qu'il arrive.

Shelli est en bas de l'escalier et renfile son manteau. Elle se
tourne vers moi.

– Qu'est-ce que tu fais ce soir ?

Ce soir, ce qui veut dire samedi soir. Ce qui veut dire mon rencard avec Jared. Ce qui veut dire à la fois les Oscars, le Super Bowl et la Résurrection.

– Oh, rien…

Shelli hoche la tête, pas convaincue. Normalement elle me demanderait de traîner avec elle, mais c'est un peu prématuré, vu qu'on vient à peine de se réconcilier. Ça pourrait être maladroit. Je ne lui en veux pas, remarquez. Shelli est une fille bien. Sauf qu'elle n'a pas une volonté très marquée. Sa mère chrétienne à la masse a étouffé tout ça en elle.

– Appelle-moi.

– Ouais. Demain.

Et à ces mots, Shelli est partie. Juste à temps pour que je commence à choisir ma tenue.

Je sais ce que vous pensez. C'est quoi, mon problème ? Et je penserais la même chose de vous si les rôles étaient inversés. C'est sûr. Mais c'est évident que depuis que Jared s'est pointé à ma porte, j'ai été possédée par des médecins vaudous qui m'ont à l'évidence jeté un sort, et depuis c'est plus fort que moi, je suis incapable de ne pas aller à ce rencard avec Jared. C'est pas ma faute. Leur pouvoir est trop puissant.

39

Personne n'est au courant de mon rencard avec Jared Kline. Sauf mes sœurs, qui sont furax. À l'heure qu'il est, mes frères ont probablement oublié. Robby s'en tape, vu que les Knights ont perdu contre les Spartans hier soir, alors il a tiré la gueule toute la journée.

Le fait est qu'après ce soir, *tout le monde* sera au courant de mon rencard avec Jared Kline. Parce que au moins deux ou trois personnes seront à cette fête de Halloween et ça veut dire que d'ici minuit tout le bahut sera au courant. Et par « tout le bahut », je veux dire « tout le monde ». Et par « tout le monde », je veux dire « Logan ». Il le découvrira d'ici lundi, c'est sûr. Enfin, je pense.

À ce propos, je ne sais pas ce que je dois éprouver d'autre que ce que j'éprouve, qui est résolument… OK, écoutez, je ne sais pas ce que ça me fait au juste. Bon sang…

Mais le truc, c'est que… Disons que je vais vraiment au rencard, et disons que j'aime pas Jared Kline du tout. Alors je peux juste dire à Logan… Hmm… je sais pas ce que je peux dire à Logan. Je ne sais pas trop si je peux lui dire quoi que ce soit sans le revoir en train de tabasser ce mec comme un malade, près du hangar à bateaux.

Mais je vais trouver un truc. Mais oui. Peut-être que je pourrais juste lui dire que j'étais pas franchement charmée par le fait qu'il trucide quasiment quelqu'un sous mon nez. Ou peut-être que je peux lui dire que je suis amoureuse de lui et que je le considère un peu comme un héros, et qu'on devrait peut-être s'enfuir ensemble et devenir des espèces de Bonnie et Clyde revisités.

Comme vous le voyez, les amis, je n'ai pas été au bout de mes réflexions. Et comment je pourrais ? Il n'existe pas vraiment de manuel pour ce qu'on doit faire quand on est plus ou moins amoureuse d'un marginal instable et qu'ensuite le mec le plus craquant de tous les temps vous propose un rencard, un rencard officiel où il demande la permission des parents et tout ça.

Pourquoi ne pas aller au rencard, après tout ? C'est comme si, enfin, je veux dire, c'est comme refuser d'aller dans la lune ou je sais pas quoi. Genre Neil Armstrong qui hausse les épaules et qui annonce : « Ouais, bof, je passe mon tour. »

Alors OK, il y a la possibilité notable que ce soit le plus gros baratineur du monde. C'est vrai. Mais comment je vais le savoir si je ne vais même pas à un seul rencard ? C'est juste un rencard. Basta. Un seul. Pas de quoi se prendre la tête.

Et n'oubliez pas non plus la possession vaudoue.

Le plus délicat, quand on s'habille un peu classe pour sortir n'importe où dans Lincoln, Nebraska, d'octobre à mars, c'est qu'on se les gèle, alors qu'est-ce qu'on est censé porter ? C'est un peu un numéro d'équilibrisme où on essaye de trouver le juste milieu entre Marilyn Monroe et le Bibendum Chamallow dans *SOS Fantômes*. Je veux dire, il vous faut un manteau. Et des bottes. Et vous devez à la base porter trois couches partout. Alors, allez-y, essayez un peu d'avoir l'air sexy.

Le mieux que je puisse faire, c'est deux paires de collants, des bottes, un anorak, un bonnet et... une minijupe. C'est l'élément sexy. Écoutez, je fais de mon mieux. Le fait est que s'habiller pour une fête de Halloween qui se passe dedans-dehors, c'est un dilemme fashionistique que Jean-Paul Gaultier en personne ne pourrait pas résoudre. Je mérite un A pour les efforts que j'ai déployés.

Ma mère attend avec moi et prépare le dîner, alors que je fais comme si j'étais pas nerveuse. Elle a sorti la salière et le poivrier en céramique de Halloween. Ah, vous ne saviez pas ? Ma mère a des salières et poivriers en céramique, des décorations de table, même de la porcelaine pour chaque fête, de maintenant jusqu'à Noël. C'est la grosse période déco de l'année. Elle a des boîtes pour Halloween. Pour Thanksgiving. Cinq boîtes pour Noël. On prend les fêtes de fin d'année au sérieux, par ici. Ça rigole pas.

Les salière et poivrier en céramique de Halloween sont un couple de morts-vivants. C'est franchement pas très appétissant de dîner en regardant des statuettes ensanglantées et dégoulinantes de ces mangeurs de cervelle. Ma mère voit bien que je suis agitée.

– Ça va aller, ma puce. C'est juste un garçon. En outre, c'est lui qui t'a invitée.

– Je sais, maman.

– Et si quoi que ce soit te met mal à l'aise, je veux que tu rentres direct à la maison. Tu peux appeler à n'importe quelle heure. Je serai ici près du téléphone.

– Merci, maman.

– Ou tu peux même prendre un taxi. Je te donnerai de l'argent pour la course. Juste au cas où.

– OK, maman.

– Sois simplement naturelle.

– Maman, je suis nerveuse.

– Je sais, ma puce. Mais ne le sois pas. Essaye simplement de t'amuser, OK ? De vivre l'instant présent.

– Maman, t'es une hippie ?

Elle sourit. Personne d'autre dans la famille ne plaisante comme ça avec ma mère. Je ne sais pas pourquoi. Elle pige toujours la blague. J'imagine que tout le monde est simplement trop préoccupé par ses propres problèmes pour le remarquer. Mais je sais que ça compte beaucoup pour elle. De savoir que je la regarde. De savoir que je l'aime. Je jure que sans elle je serais la première tueuse en série de l'Histoire.

– Écoute, ce garçon a de la chance de passer du temps en ta compagnie. Vois les choses sous cet angle.

– Pff… Ouais, c'est vrai.

– Bien sûr ! Crois-moi.

La sonnette de la porte retentit et mon cœur sort de ma poitrine pour sauter sur la table. Bon sang. C'est terrible. Ça va être la pire soirée de ma vie. Vaut mieux que je ne parle même pas. Je vais juste sourire et hocher la tête. Et rigoler. Mais pas trop. Et pas trop fort. Juste un petit rire sympa. Encourageant. Bon sang, c'est quoi, mon problème ? Je pars en miettes.

Ça va être une vraie cata.

Ma mère ouvre la porte et c'est Jared. Il porte une parka North Face bleu marine, un jean et des chaussures de randonnée. Du Jared cent pour cent.

Même si je ne peux pas le voir, je peux déjà vous le dire : quelque part sous sa parka, il porte un tee-shirt Led Zeppelin. Celui où l'ange tombe du ciel.

Il me sourit et ça me coupe un peu le souffle. Oh ! bon sang. Ça va être atroce. Peut-être que je devrais simplement dire que je suis malade et aller me glisser dans mon lit. Je pourrais juste faire semblant de couver quelque chose et prendre la fuite.

– Bonsoir, madame. Je suis venu pour ce rendez-vous avec votre fille dont nous avons précédemment parlé.

– Oui, entrez donc. Il n'y a aucune raison de rester dans le froid.

Jared obtempère, et je vois mes sœurs qui jettent un coup d'œil depuis le couloir. Je croise le regard de Lizzie qui articule en silence : « Tu vas le PAYER. »

Jared est là debout, et m'attend près de ma mère.

C'est ma dernière chance de me tirer. Je pourrais vraiment dire que je ne me sens pas bien.

– Tu es prête, ma puce ?

Ma mère essaye de faire comme si tout était normal. Pauvre maman. Elle ignore qu'elle a élevé une Muppet névrosée qui part en lambeaux.

– Anika ? Tu es prête ?

C'est Jared. Oups ! Je me rends compte que je ne suis jamais allée à vrai rendez-vous auparavant.

– C'est mon premier rencard !

Mais quelle abrutie. Je parie qu'il est en train de se barrer maintenant.

– Génial ! Je dois être le mec le plus veinard de l'univers, alors.

Il sourit. Ma mère sourit. Tout le monde sourit aux anges.

OK, quand faut y aller…

Je m'avance et j'ai pas le temps de dire ouf que Jared et moi, on a franchi la porte. On est dehors, dehors, dehors, dans l'air frisquet du soir où tu vois la vapeur de ton souffle et où t'as les yeux qui gèlent, et tu peux monter dans une Jeep vert foncé pour aller à ce truc de Halloween, où tout le monde en ville va voir que t'as un rencard avec LE FAMEUX Jared Kline.

40

Tous les petits gamins de la fête de l'Épouvante de Halloween sont déguisés en vampires et en lutins, en sorciers et en sorcières. C'est comme les Enfers en miniature. Il y a aussi pas mal de Luke Skywalker, de Han Solo et de Dark Vador en modèle réduit. Même quelques mini-Stormtroopers. Et un mini-Chewbacca. C'est celui qui fait craquer tout le monde. Le môme doit avoir dans les quatre ans. Et il maîtrise à fond le cri du Wookiee.

Il y a une maison hantée, un champ de citrouilles, une cartomancienne et un coin pour la pêche à la pomme.

Jusqu'ici on a pris du cidre chaud et des donuts, et Jared a essayé (et raté) de gagner pour moi un chat noir et orange en peluche au chamboule-tout. Il se balade dans la foire comme s'il était le maire de Halloween.

La tête bien haute, on dirait qu'il mesure deux mètres cinquante ou je sais pas quoi.

– Je peux te poser une question ? (C'est plus fort que moi.)

– Vas-y.

– Pourquoi t'es aussi heureux comme ça tout le temps ?

– Pourquoi je ne le serais pas ? C'est une nuit magnifique, sous la pleine lune, ce gamin est déguisé en Chewbacca, et moi, je suis avec la plus belle fille du monde.

– Euh… je pense que tu veux dire que t'es avec la plus belle fille de ce carré de citrouilles.

– Ben, le monde correspond à un champ de citrouilles pour l'instant. C'est l'impression que j'ai, en tout cas.

J'aurais la nausée si c'était prononcé par n'importe quel autre habitant de la planète.

On contourne un groupe de minifées en rose et violet, qui agitent leurs baguettes magiques.

– Pour un baratineur, t'es franchement convaincant. Je dirais que t'es excellent.

– Merci, mais je ne suis pas un baratineur, Anika, sérieux, j'en suis pas un. Les gens disent ça parce qu'ils sont jaloux ou débiles, ou ils cherchent juste un sujet de conversation.

J'ignore quoi répondre à ça. Je pense à la débâcle de Stacy Nolan. C'était un fantasme délirant. Et tout le monde a gobé le truc comme des bonbons de Halloween.

Deux stands plus bas, Jenny Schnittgrund sirote du cidre avec Charlie Russell.

On passe devant eux et tous deux restent bouche bée, en renversant du cidre un peu partout. Puis ils dégagent ! La machine à rumeurs va se mettre en branle !

Jared s'arrête net et se tourne vers moi.

– Il y a un truc bizarre chez toi, Anika. T'es… mystérieuse, ou un truc comme ça…

– Mystérieuse. Comme quand j'ai lâché que j'avais jamais eu de rencard auparavant ?

– Ouais, c'est ça, dit-il en ricanant. Non, mais sérieux… Je sais pas, c'est juste que je pense à toi. Beaucoup.

– Vraiment ?

– Ouais.

– Pourquoi ?

– Ben, je reconnais que t'es vraiment pas du genre à te la péter.

Le champ de citrouilles a été pris d'assaut par des lutins, alors on se dirige vers la maison hantée, où Jared pourra sans doute essayer de me faire subir les derniers outrages dans le noir. On doit d'abord acheter les tickets, alors je fais la queue tandis que Jared va au guichet.

Pendant que j'attends, je me demande surtout si c'est pas une blague comme dans ce film où la fille se fait entièrement éclabousser de sang à son bal de promo. Enfin quoi… Jared Kline. *Le fameux* Jared Kline qui se comporte comme ça. J'ai l'impression d'avoir mis les pieds dans un monde parallèle.

Maintenant il y a deux Ewoks miniatures qui essaient de convaincre le patron de la maison hantée qu'il devrait les laisser entrer. Il n'arrête pas de leur dire qu'ils sont trop petits et eux lui fournissent des tas d'exemples de choses qu'ils ont été capables de faire même s'ils étaient trop petits. Genre voir *Superman*. Et conduire un kart. Même le mec de la maison hantée se régale de les écouter parler. On échange un sourire. Ouais, c'est vrai qu'ils sont trop mignons.

Les Ewoks continuent à plaider leur cause. Au même moment, toute cette douceur, cette légèreté, cette bonne volonté envers l'humanité entière est gâchée par la plus effroyable créature de toute la fête de Halloween :

Becky Vilhauer.

J'aurais dû m'en douter.

Elle a l'air de traîner dans le coin depuis des heures, avec Shelli derrière elle, une fois de plus, qui ressemble à un chaton égaré. Elles se sont mises sur leur trente et un, elles aussi. En mégères. Enfin, en sorcières.

– T'es. Foutue. Ma. Vieille.

– Hmm… salut !

– Tu croyais que tu pouvais venir te balader avec ton gros naze, hein ?

– Quoi ?

– J'en reviens pas que tu sois aussi débile. Tu croyais franchement pouvoir te trimballer avec ce pauvre mec et qu'on n'en saurait rien ? Genre t'as le cerveau grillé ou quoi…

– 'Soir, mesdemoiselles !

Jared est de retour. Avec les tickets.

Si je pouvais décoller la tête de quelqu'un comme l'étiquette d'un bocal, j'aimerais afficher ces deux expressions sur le mur de ma chambre pour le restant de mes jours.

Becky a l'air d'avoir vu débarquer les extraterrestres. Shelli a vu Jésus entrer en lévitation.

Je veux dire, jamais, depuis la nuit des temps, deux filles ont reçu un coup bas comme ça.

Bon sang, si seulement j'avais une caméra à la place de l'œil.

Becky essaye de se reprendre.

– Je… euh… Salut, Jared !

– Salut… couine Shelli.

Mais Becky ne va pas se contenter de ça. Faut qu'elle sauve la mise. Qu'elle ait le dernier mot.

– Qu'est-ce que tu fais ici avec lui ? Je croyais que t'avais un *copain* ?

Et voilà. Ma soirée des Mille et Une Nuits touche à sa fin. Fini les mots doux dans le champ de citrouilles. Il va sans doute me planter là. Becky adorerait ça. Elle m'obligerait à la supplier de me raccompagner en bagnole. Sérieux. Bon… j'imagine que je vais juste appeler ma mère.

Sauf que Jared intervient :

– Elle a vraiment un copain.

Et il me soulève alors dans ses bras, genre il va me faire franchir le seuil de la maison ou je sais pas quoi, et regarde Becky droit dans les yeux.

– C'est moi.

À ces paroles, il m'emmène dans la nuit des mille et un lutins et laisse tomber les tickets, parce que franchement… qui a envie d'aller dans une maison hantée, quand Jared Kline vous embarque comme s'il vous emmenait en fusée sur la lune ?

41

On est dans la Jeep de Jared maintenant, et on file à la maison.
Il se tourne vers moi.

– Désolé si on n'est pas allés dans ce manège ou un autre.
Mais je pense qu'on sait tous les deux qui faisait le plus peur
à la fête de Halloween.

– Hmm ?

– Beeeeeeeeeeeeeeeecky Viiiiilhaaaaauuuueeer !

Il met ses doigts en griffes et fait mine de m'attaquer.

Je n'aurais vraiment jamais pensé que Jared Kline aurait autant
d'esprit. Je croyais qu'il avait juste une intelligence moyenne,
celle d'un fumeur de joints, au mieux. Enfin quoi, son frère
cadet, Brad, a levé la main un jour en classe de biologie pour
demander si les arbres étaient vivants. Sérieusement.

– Alors, qu'est-ce qu'on fait maintenant ?

– Ben, comme je suis un gros baratineur, je te ramène chez
toi pour que ta mère ne flippe pas.

– *Touché !*

– Oh, tu parles français. Qui t'a appris ça ?

– Mon frère. Henry. Parfois on se la pète intellos. Il adore
tout ce qui est français.

– Je vois… le pain perdu, la vinaigrette, les frites…

– … la moutarde de Dijon.

Jared me sourit et on a l'air de deux parfaits débiles maintenant. Mais je suis terrifiée quand on arrive chez moi. Je me liquéfie quand on arrive chez moi. J'ai le cœur qui bondit de mon pull quand on arrive chez moi. Qu'est-ce qu'il va faire ? Il va m'embrasser ? Est-ce que j'ai envie qu'il m'embrasse ? Oui, j'en ai envie. Non, j'en ai pas envie. Et si j'étais pas douée pour embrasser ? Pourquoi je le serais ? La seule personne que j'aie jamais embrassée, c'est mon petit copain qui-ne-l'est-pas-du-tout-du-tout, Logan.

On se gare dans l'allée et il coupe le moteur. J'imagine qu'il pense que c'est option « pelotage » maintenant.

– Attends, je vais te raccompagner jusqu'à la porte.

– Oh, t'es pas obligé…

– Allez, on sait jamais le genre de squelettes qui pourrait rôder dans les buissons. T'as vu ces gamins. Ils sont assoiffés de sang.

D'un bond, je descends de la Jeep et me dirige vers la porte d'entrée. Comme la plupart des lumières sont éteintes devant la maison, j'imagine que personne ne peut nous voir. Peut-être. Qui sait ?

– Alors… euh… Anika, grâce à toi, j'ai passé une super soirée.

– Vraiment ?

– Ouais. J'aime bien être avec toi, près de toi.

– Waouh… Je ne sais pas trop quoi…

– Quand j'ai dit tout à l'heure que t'étais ma copine, tu sais ? J'ai envie que tu le sois, Anika.

– M'enfin, c'est dingue. Tu ne me connais même pas ! T'as pas genre un million de nanas qui…

– Non. J'ai pas…

Il soupire, puis :

— Écoute, je ne sais pas ce que t'as entendu sur moi, à quel endroit tu l'as entendu ou quoi, mais je ne suis pas quelqu'un de *mauvais*. Je suis juste un mec. Tu vois ? Tout ce que t'as entendu, c'est juste... du bla-bla.

— OK.

— Alors, t'es ma petite amie maintenant ?

— J'imagine ?

Chaque fois que je m'exprime, on dirait que je parle sous un rocher. J'en reviens pas et j'ai l'impression que si je hausse la voix, le rocher va voler en éclats. Je vais me réveiller et me rendre compte que tout ça n'était qu'un rêve.

J'effleure le collier en or autour de mon cou.

— Je ne vais pas t'embrasser, Anika.

— Quoi ? Pourquoi pas ? Euh...

— Parce que je sais qu'une partie de toi pense que je suis un dragueur. Et je veux te prouver que non. Je suis juste un mec. Qui t'apprécie.

Une lumière s'allume dans le salon au-dessus de nous.

— J'imagine que c'est ma mère.

— Bonne nuit, Anika, dit-il en me pressant l'épaule d'un air rassurant.

OK, personne ne m'a jamais pressé l'épaule d'un air rassurant auparavant.

Puis il s'en va, repart vers sa Jeep et le nuage dans le ciel d'où il est venu. Il se tourne avant de monter.

— Fais de beaux rêves.

Et puis il dégage et moi, je reste là debout sur le perron, en me demandant ce qui vient de se passer. Il a raison. Je vais faire de beaux rêves, parce que tout ça était un joli rêve, et j'ai l'impression d'être la fille dont les jolis rêves ne se réalisent jamais, et je me demande combien de temps ce joli rêve peut durer au juste.

42

Je pédale vite, vite, vite, la roue arrière rouillée grince, grince, grince. C'est maintenant, c'est maintenant et les arbres et les feuilles et le trottoir se dérobent, et maintenant il y a des cercles bleus et rouges, et des sirènes, et des camions rouge et blanc, et les arbres et les feuilles et le trottoir murmurent qu'ils ont essayé de m'arrêter, ils ont essayé de m'arrêter, vraiment ils ont essayé.

Je pédale vite, vite, vite, je ne vois pas. J'essaye de ne pas voir, je ne vois pas, mais impossible de ne pas voir, impossible de faire demi-tour maintenant.

Je pédale vite, vite, vite, c'est maintenant. Tu as cru que tu pourrais changer tout ça, rappelle-toi comme tu pensais que tu pourrais le faire, et maintenant tu as envie de rigoler très fort, tu le pensais, mais il n'y a pas de quoi rire, il n'y a plus de quoi rire maintenant.

43

Je sais quoi faire pour Tiffany. Je me suis creusé la tête depuis le jour où on l'a virée, et maintenant je connais la seule façon de réparer tout ça. Ou en tout cas de m'en approcher. Je dois lui donner l'argent. Je parie que vous vous demandez combien il y a. Combien Miss Caisse-enregistreuse et son acolyte Shelli ont volé au Bunza-tout-un-repas-dans-un-Bunza ?

Réponse :

(Roulement de tambour, s'il vous plaît…)

Exactement mille deux cent trente-six dollars et cinquante cents. Oui, mesdames et messieurs. Voilà ce que ça donne, 1 236,50 $.

Et Tiffany va tout avoir.

N'essayez pas de m'en dissuader, ma décision est prise. Je suis à mi-chemin de chez elle et j'ai déjà le nez frigorifié qui va se décoller de mon visage, merci beaucoup. C'est une de ces journées quasi hivernales où le ciel a la couleur des flocons d'avoine et le sol est blanc gelé, et pas la moindre neige pour donner un peu de cachet au paysage. Juste une journée glaciale à vous pousser au suicide.

Mon père, le vampire, aime bien dire : « Ce temps, ça vous punit. » Et il a raison. On a vraiment l'impression d'être puni pour un truc. Mais quoi ? Peut-être qu'on est puni de vivre dans un endroit aussi merdique et de rien faire pour que ça change.

Dans le genre déprimant… cet immeuble en crépi pourrait aussi bien arborer un panneau à l'entrée annonçant : ON A UN PEU MERDÉ. Ben ouais, à moins d'être étudiant ou de passer par un horrible divorce, faut se sentir drôlement minable pour oser dire qu'on habite là. Et la présence d'un Burger King de l'autre côté de la rue n'aide pas vraiment. Tout le coin empeste le cheeseburger, quoi.

Quand j'arrive à la porte, je décide que c'est de toute manière une idée débile et que je vais m'en aller. Et si Tiffany n'est pas chez elle et que sa mauvaise mère répond ? Je ne peux pas lui donner l'argent à *elle*. Elle va sans doute le dépenser pour des trucs qui la rendront encore plus mauvaise. Peu importe ce que c'est. J'imagine que je serais hargneuse, moi aussi, si je devais vivre dans ce trou à rats.

La porte s'ouvre avant même que j'aie le temps de frapper, et c'est Tiffany. Elle est là à me regarder, et c'est comme si elle rétrécissait juste sous mes yeux.

– Salut.

Je sais. J'ai toujours eu le sens de l'à-propos.

– Salut.

Elle rétrécit encore.

– Écoute, euh… Dis-moi, je peux entrer ? Il fait un peu froid…

– Euh, vraiment ?

OK, pigé. Tiffany n'a pas envie que je voie cet endroit. Ça, je peux comprendre. Je ne voulais pas vraiment que Jared découvre où j'habitais non plus. Pas après que j'ai vu cette bibliothèque avec les marines à l'huile au mur.

– Ouais, je veux dire… on se gèle là-dehors.

– OK.

J'entre et c'est pas si moche, en fait. Bon, c'est pas comme si vous pouviez manger par terre, comme chez moi. Les coins sont crasseux. Mais on a visiblement balayé et fait la poussière pour obtenir un résultat entre ouais-c'est-bon et on-s'en-tape.

Jusqu'ici, aucun signe de sa mère.

– Donc, je me suis sentie mal quand tu t'es fait choper, alors…

– Je sais. C'était nul. Je sais pas ce qu…

– T'as pas à t'excuser.

– Non, je…

Bon sang, je vais lui dire ? Elle pourrait me dénoncer si je le fais. Et dénoncer Shelli aussi. M. Baum porterait plainte. Pour mille deux cent trente-six dollars et cinquante cents. Probablement plus pour son orgueil blessé. Et le fait qu'il soit petit. Et gros. Et que je l'ai empoisonné.

– Écoute, Tiffany, on a volé aussi.

– Quoi ?

Oh là là… Tiffany me regarde comme si je venais de lui annoncer que les aliens avaient débarqué au Kansas. Ça va craindre. Mon Dieu, s'il Vous plaît, faites qu'elle me dénonce pas.

– Ouais, je t'assure. J'avais mis au point tout un système…

– … Mais pourquoi ?

– Parce que je suis conne.

– Mais t'es riche.

– Pas assez, j'imagine ?

Elle et moi, on est là debout à se regarder. Peut-être que l'idée nous traverse en même temps qu'on n'est jamais assez riche. Peut-être que c'est ça, le problème.

– Écoute, on a été de vraies débiles.

– Shelli aussi ?

– Ouais.

– Mais sa mère est chrétienne.

– Justement.

Tiffany sourit.

– Écoute, il n'y a pas vraiment de raison. Je suis une espèce de fille minable, j'imagine que c'est ça, la raison.

– Non, t'es pas minable. Tu m'as sauvé la peau !

– Ben, peut-être que c'est en partie parce que je me sentais coupable. En tout cas… tiens.

Je tends l'argent à Tiffany, enveloppé dans un papier d'emballage Bunza Hut. Elle regarde à l'intérieur, puis de plus en plus près, et les yeux lui sortent quasiment de la tête.

– Merde alors !

– Je sais. Ça fait beaucoup.

– Comment t'as…

Je hausse les épaules.

– On avait un système.

Tiffany me dévisage. Je vois bien que son opinion sur moi a changé en une milliseconde.

– Je croyais que t'étais parfaite.

– Euh… non.

– Ben, t'es drôlement intelligente. Peut-être que c'est ça.

– Merci. Quand j'étais petite, on croyait que j'étais retardée, alors on m'a fait passer des tests et j'avais un QI genre élevé, alors je suis un peu une retardée douée.

– Il y a combien là-dedans ?

– Environ… mille deux cent trente-six dollars et cinquante cents. Mais à ce stade, on ne compte plus.

Tiffany regarde autour d'elle. Bon sang, j'espère que sa mère n'est pas dans l'appart.

– Je ne peux pas accepter ça.

– Mais si. Et tu vas le faire. Tu dois le faire. Si tu ne l'acceptes pas, je m'en voudrai à mort. Franchement.

– T'es sûre ?

– Ouais.

– Ben, qu'est-ce que je suis censée en faire ?

– Ne le donne pas à ta mère, pour commencer.

– Sans déc.

Silence. Qu'est-ce qu'on fait avec de l'argent ? Ça rend tout le monde tellement dingue, mais une fois qu'on en a, qu'est-ce qu'on en fait ? On l'embrasse ?

– Peut-être que tu devrais le déposer à la banque ou un truc comme ça ?

– Ouais. Bonne idée. Merci. Merci beaucoup.

– Non. Je t'en prie. Je suis une conne. Ne me remercie pas.

– Tu m'as donné ça parce que t'avais pitié de moi ?

– Je ne pense pas.

– Bien.

On entend marcher dans l'escalier à l'extérieur et on s'immobilise toutes les deux, effrayées. Pitié, faites que ce soit pas sa mère. Pitié, faites que ce soit pas sa mère.

– OK, je ferais mieux d'y aller. Appelle-moi ou passe me voir, quand tu veux. Je serai là.

– Ouais, je le ferai. Je t'appellerai.

Et je sais, en descendant cet escalier, en franchissant la grille en fer forgé, je sais qu'elle n'appellera jamais. Je sais qu'elle n'appellera et ne passera… plus jamais.

44

Aujourd'hui, le soleil donne l'impression de briller si fort qu'on dirait qu'il fait vingt degrés dehors, mais quand vous sortez, il fait moins un.

C'est presque la fin de la semaine. Jeudi. Le meilleur jour. Toute l'anticipation du week-end, mais sans la moindre angoisse.

J'ai pris la tangente avec tout le monde, y compris Shelli, en changeant d'itinéraire pour aller en cours… Enfin, je sais pas trop… J'ai l'impression de ne plus savoir comment agir pour quoi que ce soit, alors je me cache. Si je pouvais transformer ce plafond en couverture et me glisser dessous, je le ferais.

On bosse sur des installations années 1970 dans le cours d'arts plastiques de M. Toxico, et jusqu'ici, tout ce que j'ai, c'est un diorama blanc immaculé dans une boîte à chaussures. J'ignore absolument quoi en faire.

J'imagine que l'idée générale, c'est qu'on est censés créer un espace où tout le monde se balade et éprouve une émotion. Je décide de créer un espace où tout le monde éprouve de la terreur.

Là, maintenant, ma brillante idée est surtout quelque part dans ma tête et m'évite, et la seule façon de la faire sortir, c'est de rester assise là, à regarder par la fenêtre.

Loué soit le Seigneur ! L'alarme incendie retentit et, une fois de plus, on sort tous en traînant les pieds dans le froid glacial, et tout le monde me regarde avec l'air d'attendre quelque chose.

– Ben quoi ? J'y suis pour rien !

Comme la dernière fois, on attend, on échange des regards, on papote, on regarde notre haleine qui s'échappe comme les bouffées de fumée d'un dragon, puis on finit par rentrer, avant d'être tous embarqués à l'hôpital pour hypothermie.

J'imagine que je ne vais pas devoir trop me fouler pour penser à une installation, parce qu'une fois de retour dans la salle il y a… euh… une installation.

Voilà ce qui se passe :

Toute la pièce grouille de… papillons.

Et pas n'importe lesquels… mais les plus sublimes qu'on ait jamais vus.

Des papillons bleu vif, presque violets, volent de tous côtés, et leurs ailes captent la lumière. Il y en a des centaines.

Pour votre gouverne, sachez que j'ai déjà entendu parler de ça. Ma mère a dit que ma tante l'avait fait à son mariage, à Berkeley, où tout le monde est socialiste, mais plutôt hippie et plutôt riche aussi, et s'intéresse aux féeries papillonesques, j'imagine. Elle a dit qu'ils avaient lâché ces paquets de papillons après la cérémonie et que tout le monde s'était extasié et avait poussé des sifflements admiratifs, et ensuite tous les papillons étaient aussitôt morts, et c'était vraiment gênant et un peu déprimant. Mais ces papillons-là ne sont pas mourants. En fait, ils ont l'air de bien se porter dans cet environnement artistique.

Maintenant, bien sûr, tout le monde flippe. On entend des « Oooh » et des « Aaah » et des « Waouh » et des « J'en reviens pas », et ça fait triper les hard-rockeurs. Certaines filles ont vraiment peur des papillons ou je sais pas quoi. Ou alors peut-être qu'elles font semblant pour attirer l'attention. Ouais. C'est exactement ça. Ben ouais, depuis quand les papillons foutent la trouille ?

Si vous deviez faire un film sur un papillon enragé, tout le monde vous rirait au nez. Remarquez, si on présentait ce scénar à Hollywood, qui sait ce qui se passerait ? Peut-être qu'ils vous riraient à la gueule, avant de se faire une ligne de coke sur la starlette la plus proche.

Note à moi-même : ne jamais mettre les pieds à Hollywood.

P.-S. : Tout le monde me regarde.

J'imagine que ça remplit les conditions d'une installation réussie.

Mon diorama dans une boîte à chaussures blanche est toujours sur mon poste de travail, et aucun tableau génial ne le remplace ou quoi que ce soit, alors j'imagine que je suis officiellement tirée d'affaire sur ce coup-là.

Mais ça veut pas dire que c'est pas à cent pour cent, totalement, à un million de pour-cent l'œuvre de Logan McDonough. Au cas où j'aurais des doutes, je remarque un faux petit papillon bleu épinglé sur le côté de mon classeur. Or il n'y a jamais eu de faux petit papillon bleu sur le côté de mon classeur.

Et si vous pensez qu'à cause de ça je tombe complètement amoureuse de Logan, eh ben vous avez tort. Je refuse, quoi qu'il arrive, alors arrêtez.

Pareil, si vous pensez que je me morfonds et que Logan me manque, et que j'espère en tournant au coin de la rue le voir caché dans les buissons, et qu'ensuite il surgira, m'attrapera et me fera vibrer avec un baiser qui efface tout ce qui s'est passé, et que cette drôle de malédiction vaudoue qui me pousse vers Jared sera levée, eh ben c'est pas vrai non plus. Je le jure.

M. Toxico se tourne vers moi.

– Anika ? C'était ton projet ?

Je sais, je sais. Je suis censée être une fille bien et toujours dire « s'il vous plaît » et « merci », jamais de méchancetés, et toujours la vérité.

Je marque un temps d'arrêt, puis…

– Ça me vaudra un A ?

45

Je parie que vous vous demandez ce que je vais faire de Logan maintenant, hein ? Eh ben, vous n'êtes pas les seuls. Sérieux, c'est pas comme ça que je pensais que ça se finirait. PAS DU TOUT. Comment j'étais censée savoir que cet espèce de prince charmant en tee-shirt Led Zeppelin et vénéré par tout le monde allait surgir de nulle part pour me sortir le grand jeu ?

Ça n'aide pas que tout le monde considère Jared comme un super dieu, et Logan comme un super naze, même si c'est peut-être une sorte de génie artistique. Je sais, je sais. Je ne devrais pas me préoccuper du côté naze. Pourquoi d'ailleurs ? Mais la vérité, c'est que ça me préoccupe. Vraiment. Je ne vais pas me mentir. Pas la peine d'enjoliver le truc. Je m'inquiète de ce que les gens pensent de moi. Je ne suis pas Jésus-Christ. Je suis juste une fille parmi d'autres.

Alors je ne vais même pas parler de…

Vous savez, ce mec au hangar à bateaux était une ordure qui puait le whisky, il allait sans doute me kidnapper et m'enterrer vivante dans son camp de mobil-homes.

Et Logan a déclenché pas une, mais deux (prenez des notes) alarmes incendie pour m'impressionner. Même si, pour ne rien vous cacher, je ne sais pas trop si ces deux fausses alertes le classent dans la colonne « cinglé » ou dans la colonne « génie ». La question reste ouverte. Écoutez, je veux dire que tout ça tourbillonne encore et encore dans ma tête et ne s'arrête jamais.

Ça me rend dingue.

C'est pour toutes ces raisons que je suis allée me coucher tôt ce soir, que je me suis enfermée dans ma chambre, histoire de fixer le plafond et de demander à Dieu ce que je vais bien pouvoir faire. Je sais que beaucoup de gens pensent que toute cette histoire de Dieu est une blague, mais j'ai comme l'impression qu'Il est là-haut quelque part. Il y a trop de choses qui existent pour qu'Il ne soit pas là. Genre, par exemple, tout. Genre, comment tout a commencé ? Sans déconner, il y a eu un big bang, c'est clair. Mais avant ça ? Qui a provoqué le big bang pour commencer ? Personne ne s'est jamais posé la question ? Écoutez, Il est là et je le sais, c'est tout.

Tous ceux qui pensent qu'on représente la forme de vie la plus intelligente de l'univers n'ont à l'évidence jamais mis les pieds au Nebraska.

Croyez-moi.

Ma mère m'a offert cette veilleuse qui projette une vache bondissant par-dessus la lune, et ça tourne en formant des petits cercles au-dessus de moi sur le plafond. Des étoiles heureuses et souriantes entourent la lune et ça joue une petite berceuse, que j'ai coupée, mais j'ai réalisé à un moment donné que c'était une veilleuse pour les bébés. J'imagine que ma mère pense que j'ai besoin d'être dorlotée. Peut-être qu'elle a raison. Si j'ai pas la veilleuse, pas moyen de dormir. Impossible. C'est comme une malédiction si je ne l'ai pas, et c'est le signe d'une certaine fatalité. On l'a laissée un jour quand on est allés rendre visite à ma tante, et ma mère a dû retourner en voiture la chercher parce que j'ai pas pu fermer l'œil pendant deux jours. Une fois de plus, c'est là où tous les membres de la famille disent de moi que je suis « spéciale ». C'est pas un compliment. Ça veut dire qu'il me manque une case.

Donc là, maintenant, je regarde la vache qui saute par-dessus la lune et je me demande ce que je vais dire à Logan. Je pensais que je pourrais déclarer un truc du genre : « Logan, je suis une imbécile. Je ne sais pas quoi faire, mais tu devrais te tenir à l'écart de moi parce que je ne sais plus où j'en suis et je n'ai aucun amour-propre et je pense que t'es peut-être un sociopathe. Mais écoute, t'es génial et cool, et parfois j'aimerais rapetisser pour me glisser dans ta poche et y vivre pour toujours, mais ensuite je m'inquiète parce que t'as peut-être pas toute ta tête et tu risques de t'en prendre à moi et de me sortir de ta poche pour m'écraser comme un cafard, tout près du hangar à bateaux. »

Voilà où j'en suis de ma réflexion.

Je pensais aussi que je pourrais essayer de dire ça avec des fleurs. Cette pensée, qui ne rime à rien, me traverse l'esprit quand j'entends un bruit sourd contre la fenêtre, juste au-dessus de ma tête. Puis un autre. Et encore un autre. Si l'ogre entend ça, je vais me faire engueuler, alors je regarde par la fenêtre et qui je vois, là en bas, à travers les arbres ? Logan. Là sous ma fenêtre, comme une espèce de Roméo.

J'imagine que je ne vais pas le dire avec des fleurs.

La fenêtre grince quand je l'ouvre. Mauvais signe. Si l'ogre se réveille, je risque d'être privée de sorties pendant au moins deux semaines.

– Logan ! Chut ! Mais qu'est-ce que…

– OK, je sais que t'es en pétard contre moi. J'ai pigé… mais je veux te montrer un truc…

– Impossible. Tu rigoles ou quoi ?

On s'interpelle l'un l'autre en chuchotant. Et je me dis que c'est la pire manière de rompre avec quelqu'un.

– Allez quoi, s'il te plaît. C'est super cool. Sérieux.

– Non, je peux pas. Je peux pas prendre ce risque. Laisse-moi t'appeler demain…

– S'te plaît ? S'te plaît ?

– Non.

– Non ? Anika, allez quoi… Sans déc.

Pff ! Je vais être obligée de le faire, non ? Genre tout de suite, en pleine nuit, par une fenêtre glaciale.

– Logan, laisse-moi juste t'appeler plus tard, quand…

Et là c'est le moment où quelque chose change dans l'atmosphère. Le premier amour se hérisse de piquants, et Logan se redresse.

– C'est quoi ce bordel, Anika ?

– Quoi ?

Bien sûr, je sais où il veut en venir. Je le laisse en plan. Je le laisse en plan, parce qu'il a fait ce truc de malade mental au hangar, et même si tout ce qu'il a fait par ailleurs est super cool, ça ne compte plus maintenant, parce que Jared m'a complètement subjuguée, et même si je me sens mal et que j'ai l'impression de l'avoir mené en bateau et qu'on a vraiment vécu cette histoire et des fausses alarmes incendie et des virées en douce en scooter, même si, pendant un temps, c'était comme si on vivait notre propre film, maintenant tout ça a changé, tout ça a changé et il ne le savait pas, et maintenant il le sait, et il a les boules.

Et il me regarde d'en bas comme un bateau en train de couler.

– Logan, c'est juste que… Enfin… je pense qu'on devrait ralentir ou un truc comme ça.

Ralentir ? Tu veux dire arrêter. Tu veux dire arrêter et il le sait, et tu le sais et il le saura vraiment d'un jour à l'autre maintenant, parce que quasiment tout le monde sait que t'es la copine de Jared Kline.

– Quoi ? M'enfin… c'est quoi ce merdier, Anika ?

– Logan…

– Quoi ? Le hangar à bateaux ? C'est ça ? Écoute, je te l'ai dit, j'ai pété un câble ! Mais c'est *toi* que je protégeais.

– Je sais, mais c'est juste que… je ne sais pas quoi dire, je…

– OK, je vais le dire. Si je le disais à ta place, hein ? T'es une trouillarde, qu'est-ce que t'en penses ? T'es une putain de trouillarde qu'est incapable de tenir tête à tes amies débiles. Et il a raison. En un sens. C'est vrai.

– Non, c'est juste que…

– J'ai pigé, Anika. D'accord ? J'ai pigé, bordel.

Il commence à s'éloigner.

Maintenant, l'air froid m'envahit, et je ne sais pas si c'est à cause de ça ou si c'est moi qui ai les larmes aux yeux. Ça doit être l'air. Faut pas que je m'inquiète. Faut pas.

Il se retourne.

– Sache quand même que je t'aimais, bordel ! Je t'aimais comme un fou !

Maintenant mes larmes coulent, et il est parti derrière les arbres et sur le trottoir. Et je suis assise là, je ferme la fenêtre et je regarde mon reflet dans la vitre, et laissez-moi vous dire, mesdames et messieurs, que ce que je vois ne me plaît pas.

46

Le lendemain, il se passe un truc que j'aimerais appeler « Le meilleur moment qu'on ait jamais raconté ». N'oubliez pas que toute ma vie j'ai plus ou moins été une citoyenne de seconde classe par ici. Vous savez, j'ai toujours eu le sentiment qu'on me disait : « T'emballe pas trop » ou « Reste à ta place ».

« Tu ne fais pas partie de notre bande. » Voilà ce que ça sous-entendait, en réalité. Donc aujourd'hui, précisément, c'est un moment dont j'aurais jamais cru qu'il serait réservé à une fille comme moi. C'est un moment pour Becky ou Shelli, ou quelqu'un d'autre avec un nom de famille normal. Pas pour une bête curieuse avec un père vampire et un nom qu'on doit prononcer trois fois avant que quelqu'un pige.

Le soleil a décidé de faire son come-back après les cours, alors c'est une de ces fraîches journées d'automne où le ciel a la couleur d'un marbre bleu étincelant et où vous pouvez vous balader dehors sans voir votre haleine. Becky et Shelli marchent en tête et je suis derrière Shelli comme un caniche. Mais il se passe un truc un peu plus loin et je sais que c'est énorme, parce que lorsqu'on marche là-dehors, c'est comme si on avait rayé le disque. On dirait qu'il y a des criquets là-dehors, pas un bruit, même s'il y a une tonne de gens, et même s'ils ont l'air de s'écarter comme la mer Rouge pour nous laisser passer, Becky, Shelli et moi au milieu, comme Moïse. Sauf que maintenant, Becky et Shelli se mettent sur le côté et il n'y a plus que moi. Je suis Moïse. Et Shelli murmure un truc, je pense qu'elle me chuchote quelque chose, mais j'entends pas. Et Becky chuchote aussi, et je pense que c'est pour moi, mais j'entends pas. J'entends pas parce que tout ce que je peux faire, c'est voir, et tout ce que je vois, c'est Jared Kline.

Il se tient là debout, appuyé contre sa Jeep comme Elvis.

Et il me regarde.

Il sourit en me voyant, comme le chat qui a mangé le canari, et aussi tous les petits frères et les petites sœurs et même la grand-mère du canari. Il sourit comme on sourit quand on a le moindre habitant de la ville, du comté, de l'État amoureux de vous.

Et tout le monde, tous ceux auxquels vous avez toujours pensé sont témoins de l'événement. Jenny Schnittgrund. Chip Rider. Stacey Nolan. Joël Soren. Charlie Russell. Toute la clique.

Mais vous devriez voir Becky. C'est comme si elle avait une réaction allergique. Comme si elle allait avoir des boutons partout. Elle n'en revient pas. Ça se passe là, juste sous son nez. Mais elle ne peut pas y croire et ne veut pas y croire, et elle est terrifiée parce qu'elle sait que c'est vrai. Mais il y a autre chose aussi, un calcul.

Tandis que Jared Kline gravit les marches, oui, les amis, il gravit les marches pour me retrouver, et il m'embrasse sur la joue, devant tout le monde, et prend les livres de mes mains, devant tout le monde, Becky se penche et me glisse à l'oreille :

– On devrait traîner plus souvent ensemble.

Sérieux, c'est le mieux qu'elle ait trouvé. Juste un changement de ton évident, sans complexe. Fini les « sang-mêlé »,
fini les « immigrée ». Juste une tentative désespérée, pitoyable,
sans gêne. « On devrait traîner ensemble plus souvent. »
Oui, Becky. On devrait traîner ensemble plus souvent. Tu
devrais traîner avec une sang-mêlé, une immigrée comme
moi, et me dire quoi faire encore.

Et puis il y a Shelli. J'ai même pas besoin de la regarder, je la
sens. Elle est comme une mère toute fière ou un truc comme
ça. À deux doigts de décoller du sol.

Mais à présent Becky et Shelli n'existent plus. Il y a juste
Jared Kline. Et moi qui descends les marches avec Jared Kline
qui porte mes bouquins. Jared Kline qui m'ouvre la portière
passager et qui fait un geste comme si c'était un chevalier ou
je sais pas quoi. Jared Kline qui saute sur le siège conducteur,
emballe le moteur et dégage comme si on allait s'envoler
dans l'espace.

Et dans le rétroviseur ? La totalité de Pound High School
n'est plus qu'une masse d'élèves qui restent bouche bée et
devant, au centre, avec la mâchoire qui traîne par terre, il y a
Becky Vilhauer.

47

La plupart des gens ne le savent pas, mais il suffit de filer tout droit vers l'est depuis Lincoln pour se retrouver dans la cambrousse, où c'est vallonné à perte de vue, avec de la gadoue et des chemins de terre et une ferme de temps en temps. Le genre d'endroit où il vaut mieux ne pas se perdre ou crever un pneu, parce que ça veut dire des heures de marche pour vous, et peut-être vous faire choper par un tueur en série qui vous collera dans sa cave et essayera de vous dévorer les reins. En roulant sur ces collines avec Jared Kline, on pourrait presque avoir la tête qui tourne. Ça monte, ça monte, ça monte, puis ça descend, descend, descend, et hop ! ça recommence. C'est comme sur des montagnes russes en terre battue, et il recommence à geler.

Jared stoppe la Jeep au hasard d'une montée. Genre il s'arrête carrément au milieu de la colline. Bon, comme il n'y a pas une voiture sur des kilomètres, pas de problème. M'enfin quand même. Il ne se range pas sur le bas-côté ou autre. Alors, pourquoi on s'est arrêtés juste là ? Tout ça ne me dit rien de bon.

– Hmm… Peut-être qu'on devrait pas s'arrêter au beau milieu de la route, non ?

J'entends ma voix, mais c'est comme si je parlais dans une boîte de conserve. C'est pas ma voix du tout. C'est la voix de quelqu'un d'autre. D'une petite fille.

– Oh, t'inquiète. Il n'y a pas un chat.

– Mais... enfin... euh... je croyais que tu allais me montrer un coin exceptionnel ?

Jared hoche la tête. Il désigne de l'autre côté de la vitre le paysage vallonné et la vue panoramique façon carte postale.

– Tu ne trouves pas ça exceptionnel ?

– Si, j'imagine.

– Oh, allez, c'est quoi le problème ? Il y a un problème ?...

Il y en a au moins une centaine.

– J'en sais rien. Cette fille au boulot. Elle s'est fait virer.

Pourquoi j'ai choisi ce truc en particulier, ça me dépasse. Ça m'est venu comme ça et j'imagine que c'est le sujet de conversation idéal ici, au milieu de nulle part.

– Ah ouais ?

Il fait mine de s'intéresser.

– Ouais, j'ai les boules, je crois, parce que c'était pas juste. C'était vraiment dégueulasse, en fait.

Silence.

– Tu vois ce que je veux dire ? Genre je me sens coupable.

Jared hausse les épaules.

– À quoi ça sert de se sentir coupable ?

– Quoi ?

– Je veux dire, c'est pas comme si tu pouvait l'aider, si ?

– J'en sais rien.

– Écoute, c'est pas ta faute, OK ? Alors, oublie.

Il hausse encore les épaules. Bon sang, c'est un tic ou quoi ? Mais il ne dit rien, s'emmerde et a l'air d'un étranger, tout à coup. Qu'est-ce qui est arrivé à ce geste grandiose qu'il vient de faire devant tout le monde au lycée ? Ça rime à rien.

Lui-même ne rime à rien. C'est comme s'il avait changé de vitesse en deux secondes. Sans prévenir. Comme s'il était passé du prince charmant à une nouille toute molle.

– Tu sais, je devrais sans doute rentrer chez moi. Ma mère va s'inquiéter.

– Oh, allez... Tu peux rester dehors un moment, quoi...

Maintenant il se rapproche. Il me fait son regard de braise comme si on jouait dans une espèce de série télé à l'eau de rose.

Ah-ha ! c'est le Jared dont le monde m'a parlé ! Le spécialiste du pelotage. Le roi de la drague à qui je savais que je ne pouvais pas faire confiance. Et le voilà, mesdames et messieurs, le beau parleur dans toute sa splendeur !

– Attends...

Mais Jared Kline m'a quasiment sauté dessus et plaqué sa bouche contre la mienne. Et ses mains sont quelque part aussi, et elles ont l'air de vouloir aller ailleurs, et vite !

Je le repousse.

– Qu'est-ce qui te prend, bordel ?

Maintenant il recule. Il a réintégré son siège.

– Anika ? dit-il en battant des paupières. C'est quoi, le problème ?

– C'est quoi le problème ? J'essaye de te parler et t'as l'air d'en avoir rien à foutre et tu trouves rien d'autre que d'essayer de m'embrasser !

– OK, j'en ai pas rien à foutre. Mais bon... OK, je plaide coupable, je sais que c'est horrible... mais ouais, j'ai envie de t'embrasser. Parce que, tu sais quoi ? T'es carrément excitante.

– Génial.

Il s'adosse au siège et croise les bras.

– Oh, je sais. Quelle insulte !

– Écoute, pour être honnête, je ne suis pas intéressée.

225

Il me regarde comme si jamais de toute sa vie personne ne lui avait parlé comme ça auparavant. Jamais.

— Désolée, dis-je en marmonnant. C'est juste que… Peut-être que je suis débile ou je sais pas quoi.

Il me dévisage pendant un bon millier d'années, et je cherche comment je vais bien pouvoir rentrer chez moi, après qu'il m'aura foutue dehors de la Jeep, et le soleil commence à se coucher tôt, c'est l'automne, et rien de tout ça ne se passe exactement comme je l'avais prévu. Pas du tout.

— Waouh… T'es vraiment… hmm. T'es vraiment dure… avec toi-même. Tu sais ça ?

— Quoi ?

— Et t'es pas débile, Anika. Loin de là.

Je suis quasi sûre que ça veut dire qu'il va redémarrer et me ramener chez moi, point barre, non ? Mais c'est pas ce qui se passe. Au lieu de ça, Jared Kline me demande :

— T'es vierge ?

— Quoi ?! La ferme ! Pourquoi tu me demandes ça ?

Silence.

— Je me disais juste… enfin, je me posais la question, j'imagine.

— Ben, même si je l'étais, c'est pas comme si j'allais te le dire. J'hallucine…

— OK, écoute. Je suis désolé. Sans déc. Je suis désolé pour ça. Je crois que je suis déboussolé avec toi ou je sais pas quoi. Genre, je sais pas comment agir avec toi.

— Ben alors, bienvenue au club. Je sais pas comment agir avec tout le monde.

Il hoche la tête.

— C'est clair.

— Alors écoute, voilà ce qui se passe. Il y a un million de filles qui sont amoureuses de toi et si tu leur dis de sauter, elles te demanderont de quelle hauteur. Mais moi, je ne suis aucune de ces filles. Alors, si c'est ce que tu recherches, je veux dire… lance-toi. Ne te gêne pas. Sans déc. Vas-y.

Maintenant il se tait. Il me regarde droit dans les yeux. Bon sang, c'est comme si Mick Jagger vous regardait ou un truc comme ça. Le genre de regard qui pourrait vous faire défaillir. Vous n'avez plus qu'à vous évanouir et quelqu'un vous retrouvera dans le fossé.

– Je sais que tu n'es pas comme toutes ces filles. C'est pour ça que je t'apprécie.

Il reste là une seconde à fixer le volant. À ce stade, j'ignore s'il va me foutre dehors, me ressauter dessus, ou carrément se transformer en taco. Je veux dire, ce mec a l'air sérieusement perturbé.

Il sourit. C'est pas un sourire convaincant. Un sourire forcé, comme quand on est petit à Noël et qu'on nous offre des chaussettes.

– Si on rentrait, OK ?

Le trajet de retour vers Lincoln est plutôt calme. Heureusement, il allume la radio.

– T'aimes bien U2 ?

– Quoi ?

– Tiens… écoute.

Il monte le volume.

Pendant tout le trajet, on roule avec *Sunday Bloody Sunday* et le soleil descend vite à l'horizon, et Jared chante sur la musique comme s'il était une rock star.

C'est qui, ce mec ? Qu'est-ce qu'il attend de moi ? Je me demande.

Et pourquoi, alors que je suis dans la bagnole de Jared, je ne peux pas m'empêcher de penser à Logan ? Logan qui me trouble, Logan qui m'éblouit, qui dit toujours la vérité. Et dont j'ai brisé le cœur en un million de morceaux.

48

Quand je rentre, ma mère agit bizarrement. On fait un pain de viande ce soir et je l'aide, mais mes sœurs aident aussi, ce qui fait que ma mère ne peut pas avoir une conversation à cœur ouvert avec moi, alors que je vois bien qu'elle en a envie. Je vois bien qu'elle a envie de me dire un truc, parce qu'elle se comporte de manière très guindée. Comme une personne qui essaye d'agir normalement, donc, à la base, de manière pas naturelle du tout.

Une fois que mes frangines sont éloignées, elle se tourne vers moi.

– Tu as des nouvelles de Tiffany ?

– Quoi ? Non. Pourquoi ?

Elle lance un regard nerveux dans l'autre pièce. À la voir agir comme ça, elle me fait penser à un membre de la Résistance française sous la collaboration.

– Quoi, maman ?

– Eh bien, ma puce, j'ai reçu un coup de téléphone aujourd'hui… de la mère de Tiffany et…

– Et quoi ?

– Et elle, eh bien, elle a… disparu.

– Quoi ?

– Sa mère dit qu'elle ne l'a pas vue depuis plus de deux jours…

– T'es sérieuse ?

– Ouais, ma puce. Je ne plaisante pas.

– M'enfin, qu'est-ce qui a bien pu…

– Je sais. Il se trouve que… que sa mère pensait que tu saurais peut-être quelque chose.

– Comment ça ?

– Ma foi, elle a dit que Tiffany agissait bizarrement. Et quand elle lui a demandé ce qui se passait… Tiffany a simplement souri et fait allusion à toi et au Bunza Hut.

– Quoi ?

– Ouais. C'est ce que m'a dit sa mère… À savoir que Tiffany avait répondu : « Pourquoi ne pas demander à Anika ? »

– Mais quel rapport avec le Bunza Hut ?

– Aucune idée. Elle a juste fait allusion à toi et au Bunza Hut. Tu n'as aucune idée de l'endroit où elle se trouve ?

– Quoi ? Non, maman, non ! Ça me fait flipper.

– Je sais, ma puce, moi aussi.

L'ogre passe alors dans le coin et on fait semblant toutes les deux de préparer la salade, mais c'est bidon, en fait, parce qu'on en a rien à foutre des tomates, de la salade iceberg et de la sauce ranch, alors que Tiffany manque à l'appel, et qu'en un sens c'est ma faute.

Je pédale vite, vite, vite. Continue, continue, oublie tes jambes engourdies à force de pédaler, oublie tes poumons défoncés à force de respirer. Et peut-être que c'est juste un rêve. Et tu peux faire un vœu, tu peux prier, mais le froid sur tes joues et ton cœur qui bat vite te disent que c'est pas vrai, que tout ça est réel, et prier ne servira à rien maintenant, plus maintenant.

50

Le lendemain matin, il y a un bouquet géant sur notre perron. Tellement énorme que ça en devient presque gênant. Maman l'apporte sur la table de la salle à manger, jette un œil sur la carte.

– Ça alors, regardez…

Mes frères et sœurs lèvent tous le nez de leurs œufs au bacon. Faut avouer que ma mère mérite des applaudissements. Œufs au bacon, ou œufs et pain perdu, ou encore saucisses et gaufres. Je veux dire, question petit déj, ça rigole pas. C'est du sérieux avec elle. Je me demande si la mère de Becky se décarcasse autant chaque jour de la semaine, du lundi au dimanche, trois cent soixante-cinq jours par an. Je sais que la mère de Shelli ne se foule pas. Et sinon, elle serait encore capable de faire des pancakes en forme de Jésus.

– Elles sont pour toi, Anika.

Et les fleurs trônent là sur la table, devant tout le monde. Bon sang, je suis mortifiée.

Puis Lizzie se penche vers moi. Juste pour s'assurer que j'ai les joues en feu et le visage couleur homard.

– T'as dû lui tailler une pipe d'enfer.

– Ferme-la ! Bon sang ! C'est sûr que toi, tu t'y connais !

Un jour, je vais trucider mes frangines. On dirait que le but de leur vie, c'est de me torturer.

Henry est le seul membre bien dans la fratrie. Et Robby. Mais il passe son temps à l'entraînement de foot.

– Eh bien, tu ne vas pas lire la carte, ma puce ?

Ma mère n'a pas entendu la remarque spirituelle de Lizzie, sinon elle l'aurait envoyée dans sa chambre.

C'est une petite enveloppe rose avec une petite carte assortie. Sur laquelle on peut lire :

Anika,

Désolé de t'avoir agressée comme un chien enragé.

Je suis un abruti.

Jared.

Bon, c'est un peu dur d'être en pétard contre lui, non ? Henry est curieux. Un peu comme le Dr Spock.

– Alors, ça dit quoi ?

Lizzie ramène sa science :

– Ça dit « Merci pour la partie de bai… »

– Lizzie, ça suffit !

Heureusement, ma mère intervient. Si elle n'était pas là, Lizzie serait déjà en train de me fourrer ces roses dans le nez pour les faire ressortir par les oreilles. Je rigole pas. Le fait est que Lizzie a peut-être cette allure d'enfant abandonnée toute fragile, mais elle est assez robuste, en fait. Genre elle peut me coller une trempe. C'est pénible. Elle sait que je vis dans la peur. Elle table là-dessus.

Henry me regarde toujours, l'air intrigué.

À mon tour de la ramener :

– Voilà ce que ça dit : « Chère Anika, je suis tellement désolé que tes sœurs aînées soient aussi pétasses. Peut-être que si elles avaient des nichons, elles se sentiraient mieux. »

Lizzie m'a sauté dessus et Neener l'encourage.

– 'Spèce de petite…

– Les filles ! Les filles !

Robby jette un regard par-dessus ses céréales et se marre.

– Crêpage de chignon !

Lizzie m'a clouée au sol et va me cracher dans la bouche. Bon sang, je déteste quand elle fait ça. C'est si humiliant.

– Lizzie, si tu ne lâches pas ta sœur tout de suite, tu es privée de sorties pendant trois mois. Sans compter les fêtes de fin d'année. Alors, continue et tu vas voir !

Une fois de plus, maman me sauve la mise. Loué soit le Seigneur ! Lizzie a vraiment une tonne de salive. Si seulement elle avait déjà foutu le camp avec un groupe de punks. Henry est toujours obnubilé par les fleurs. Henry a tendance à faire des fixettes.

– Anika, est-ce que ça marche ? Les fleurs te plaisent ? Ou bien c'est nul ?

Je m'époussette, puis vais m'asseoir entre Henry et ma mère.

– Ça marche si t'apprécies le mec.

– Et c'est ton cas, hein ? T'aimes bien ce mec ?

Henry a tendance à être obsédé.

– Quoi ?

– T'aimes bien le mec ?

– Quel mec ?

– Ben, celui qui t'a envoyé les fleurs… Pff !

Je ne suis plus là. Les fleurs sont bien là. Henry aussi. Maman aussi. Et ce petit mot de Jared aussi. Mais moi, je suis quelque part ailleurs. Dans le monde magique de l'illusion.

Il n'y a aucune raison et ça ne rime à rien, mais je ne peux pas m'empêcher de regarder par la fenêtre de derrière en souhaitant que Logan apparaisse d'une manière ou d'une autre. J'aimerais qu'il soit là et me dise comment retirer tous les mauvais trucs qu'il a en lui. Mais je ne peux pas. Je ne peux pas effacer toutes les baffes, les bleus et tout le reste que son père lui a fait.

Personne ne peut. Et le pire, c'est que… rien de tout ça n'est la faute de Logan. Ce mauvais côté de sa personnalité. Ça lui a été attribué comme ses cheveux châtain foncé et sa peau d'albâtre.

Alors, vous voyez, ça fait de moi une fille horrible – peut-être même la pire qui ait existé – quand je réponds à la question d'Henry :

– Ouais. Bien sûr que je l'aime bien.

51

C'est totalement différent au lycée. Avant, c'était un truc que je subissais. Un truc à ne pas foirer. Plus maintenant. Depuis que je suis la copine de Jared Kline et que tout le monde le sait, le bahut est devenu un endroit où on me vénère. C'est un peu flippant.

M'enfin c'est toujours moi. Je suis toujours la même. Mais tout le monde agit comme s'il avait intérêt à être sympa avec moi, sous peine que je lui coupe la tête. Sérieux. Genre un faux mouvement, et je l'envoie à la guillotine.

Jenny Schnittgrund m'a invitée à aller bronzer avec elle. Elle a un accès gratuit et se demandait si je pouvais en profiter, genre si c'était mon truc, quoi.

Charlie Russell veut savoir si j'accepte de venir faire du cheval dans son ranch familial. Ils ont deux ou trois chevaux, et c'est vraiment cool parce qu'ils sont faciles à monter. Peut-être que je pourrais amener Jared… ?

Et les pom-pom girls me suivent quasiment partout, comme si j'avais mon équipe à moi toute seule.

Donnez-moi un A ! Donnez-moi un N ! Donnez-moi un I-K-A !

C'est quoi, cette façon d'épeler ?

ANIKA ! ANIKA ! ALLEZ, ANIKA !

Pas à ce point-là, bien sûr. Mais j'exagère à peine.

La seule personne normale, c'est Shelli.

C'est la seule du bahut qui agit exactement comme elle le faisait avant. Heureusement. Je ne pourrais pas le supporter si elle se mettait à agir différemment. Je pense que je devrais alors faire une croix sur l'humanité tout entière… lever les bras au ciel et implorer Dieu de faire fissa avec l'Apocalypse. Becky n'arrête pas d'écarter Shelli de mon chemin pour devenir ma nouvelle « meilleure amie pour toujours ». Jusqu'ici, elle m'a proposé de m'inviter chez elle après les cours, de faire une soirée pyjama chez elle vendredi, et d'aller ensemble à la fête de rentrée de Chip Rider, qui est LA soirée où il faut absolument être à cette période. Même si je ne suis en gros allée chez elle que deux fois, qu'elle n'a jamais fait la moindre allusion à une « soirée pyjama », et qu'en général c'est l'une des organisatrices de cette fête de rentrée.

OK, Becky. Je te pardonne. C'est pas ta faute si t'es née avec le cortex interne d'un vélociraptor.

Oui, en un sens, les clés du royaume ont atterri sur mes genoux, et maintenant tout le monde au lycée se comporte comme si j'étais la princesse Leia ou je sais pas quoi. Juste pour m'assurer que je ne me suis pas réveillée dans un univers parallèle, je fais un saut aux toilettes des filles, où Stacy Nolan est en train de retoucher son maquillage. En me voyant, elle lâche son crayon contour des lèvres dans le lavabo.

— Alors, c'est vrai ?

— Quoi ?

— Que tu sors avec Jared Kline ?

— Je pense que oui.

— Waouh. Dingue.

– Ouais, c'est fou, hein ?

Mais Becky et Shelli viennent d'entrer pour me retrouver et Becky attaque Stacy d'emblée.

– Salut Stacy, t'as accouché dernièrement ?

Stacy implore mon aide du regard.

– Hmm… elle n'a jamais été enceinte. Tu te souviens ?

C'est le mieux que je puisse faire dans la seconde.

Mais Becky ne lâche pas le morceau. Elle affûte juste ses couteaux.

– Oh, c'est vrai. Qui voudrait la baiser, *elle*, franchement ?

Maintenant Stacy va devoir se repasser de l'eye-liner, parce qu'elle a les larmes aux yeux. Shelli s'esquive dans le couloir. Elle ne veut pas assister à ça, et j'avoue que j'aimerais pouvoir m'esquiver moi aussi.

– Sérieux ? C'est quoi, le but de la manœuvre ? je lui demande.

Becky se tourne alors vers moi.

– Quoi ?

– Ça rime à quoi, je veux dire ? T'as eu ce que tu voulais, elle est en larmes… Tu peux pas juste lâcher l'affaire ?

– Waouh. J'en connais une qui ne se sent plus pisser.

Et je sais que ça va tomber. Voilà. Ça tombe :

– Immigrée.

Elle m'envoie ça comme une insulte.

Stacy a renoncé à se maquiller. Shelli jette un œil depuis le couloir. C'est pas bon signe.

– Écoute. Tout ce que je dis, c'est que parfois ces trucs que tu balances blessent les gens beaucoup plus que tu le penses, OK ?

Argh ! C'est pas sorti comme il faut.

À présent, Becky me regarde. Ses yeux se transforment en deux petites fentes et je vois bien qu'elle prépare son attaque. Je suis cuite. Silence de mort.

Tout à coup, Becky se met à éclater de rire. Mais c'est pas un rire marrant ni un rire de joie. C'est un rire glacial avec des poignards dedans.

– Ha, ha ! Ha, ha, ha ! Tu te prends pour Mère Teresa, maintenant ?

Elle quitte les toilettes et embarque Shelli au passage, juste avant la sonnerie.

52

J'ai pas envie que Jared Kline me ramène en Jeep après les cours aujourd'hui, même si ça veut dire que je suis folle parce que tout le monde le vénère et qu'il m'a envoyé le plus grand bouquet du monde. Je ne sais pas ce que je veux. Mais c'est sûr que j'ai pas envie d'être embarquée Dieu sait où pour qu'il me bave dessus, s'excuse, puis me demande si je suis vierge.

Dans le grillage qui entoure la piste d'athlétisme, il y a une brèche ouverte par des hard-rockeurs qui sortent fumer pendant la gym. Après la septième heure de cours, je fonce aux toilettes et m'éclipse par-derrière, si bien que même Shelli ne me voit pas.

Postée à côté du lycée, je peux surveiller ce qui se passe et j'aperçois Jared avec sa casquette de camionneur, garé devant le lycée. Becky et Shelli sont là et tout le monde a l'air un peu confus. Je sais que je suis censée être là-bas. Je le sais bien. Ça fait partie du contrat. Mais je peux pas, c'est tout. J'ai pas envie d'être dans cette situation. Jamais. Paumée au milieu de nulle part, sans savoir où aller, et complètement à la merci de quelqu'un qui, franchement, ne m'inspire pas confiance, ou alors juste un peu, peut-être.

Bien sûr, la dernière fois il m'a sauté dessus, avant de changer d'avis et de m'offrir des fleurs, mais qu'est-ce qu'il va faire la prochaine fois ? Me violer, puis se raviser et me demander de l'épouser ? Avec ce mec, je peux m'attendre à tout.

Je sais, je sais. Sans lui, je suis foutue. Maintenant que Becky m'a dans le collimateur, sans Jared Kline je suis morte. Genre pour toujours. Changement de bahut. Terminé.

Même Shelli ne pourra pas me sauver. Elle devra se sauver elle-même. Et le fera. Je le sais. Je ne lui en veux pas ou quoi que ce soit. Tous les coups sont permis dans les rues malfamées de la classe de seconde.

En filant en douce par la piste d'athlétisme, j'éprouve une espèce d'euphorie, même si je fais une connerie monumentale. Le fait de planter Jared, Becky et tous les autres qui m'attendent là-bas sur les marches du lycée, comme sur le parvis de l'église le jour de mon mariage, ça me fait penser à cette chanson de John Lennon avec cette nana asiatique, quand il a quitté les Beatles.

Je suis à environ cinq pâtés de maisons de chez moi, et j'ai pris un itinéraire différent de celui que je prends avec Shelli, parce que là, maintenant, j'ai juste envie d'être seule. Et c'est à ce moment-là que je l'entends. Le scooter de Logan. Je reconnaîtrais ce bruit dans mon sommeil. Il passe devant moi à toute vitesse, puis s'arrête le long du trottoir et retire son casque.

On reste là tous les deux à se dévisager. Des milliers de kilomètres nous séparent, mais c'est aussi comme un champ électromagnétique qui pourrait alimenter toute une ville en énergie.

– Jared Kline, hein ? J'aurais dû m'en douter.

– Écoute, Logan. Je sais pas…

– Euh… tiens… j'allais te donner ça, l'autre soir… Prends-le, c'est tout.

Il me tend un bout de papier plié en triangle.

Nos regards se croisent et ça me fait l'effet d'un coup de poing dans le ventre. La moindre parcelle de mon corps crève d'envie de grimper sur ce scooter avec lui et de rouler dans le soleil couchant, mais c'est comme si ce monde d'arc-en-ciel, de licornes et de poussière magique n'existait plus.

Il est sur le point de remettre son casque pour repartir.

– Hé, attends.

Il s'arrête.

– Comment tu vas ? Comment vont ton père, tes petits frères ?

Il me regarde comme si je portais un bonnet d'âne.

– Tu veux vraiment le savoir ?

– Ouais.

– Mon père est zarbi. Vraiment zarbi. Mes frangins sont adorables. Et ma mère est alcoolo.

À ces mots, il remet son casque et s'éloigne de l'autre côté de la colline, par-delà les arbres gelés et rachitiques.

Impossible d'attendre de rentrer chez moi pour lire ça. J'ouvre le petit triangle et à l'intérieur, tout en haut, il est écrit : HAÏKU. Puis plus bas, le haïku proprement dit :

Sans cesse. Si fragile
et si forte. Tu m'inscris
dans le ciel.

53

Au dîner, je ne peux pas m'empêcher de penser à Logan. Ce haïku sublime et dément qui passe et repasse dans ma tête. *Sans cesse. Si fragile et si forte. Tu m'inscris dans le ciel… Sans cesse. Si fragile et si forte. Tu m'inscris dans le ciel… Sans cesse. Si fragile et si forte. Tu m'inscris dans le ciel…* Et tout le monde autour de moi, Lizzie, Neener, Robby, Henry, maman, l'ogre, est juste assis là à manger sa purée comme si tout était génial, comme si la Terre n'allait pas s'arrêter de tourner, et c'est tout juste si j'attrape pas le plat de purée pour le balancer en travers de la pièce.

Bon sang.

Est-ce que j'ai pris la mauvaise décision ? Est-ce que j'ai pris la mauvaise décision ? Est-ce que j'ai pris la mauvaise décision ?

Sans cesse.

Si fragile et si forte.

Tu m'inscris dans le ciel.

Et merde !

Et ces foutues fleurs qui trônent là, juste au milieu de la table, ne m'aident pas vraiment !

Ma mère est la seule à remarquer que je suis quasiment en train de devenir folle. Elle n'arrête pas d'essayer de croiser mon regard, et moi, d'éviter le sien. Elle me connaît. Et après le repas, je l'évite encore plus. Je m'éclipse dans ma chambre, où je reprends le bout de papier et le regarde encore.

Voilà l'équation. Toute simple. Si je romps avec Jared Kline, je suis morte. Morte pour Becky. Morte pour Shelli. Morte pour Pound High et tous ceux qui le fréquentent. Becky va faire de ma vie pire qu'un enfer. Ma vie deviendra l'Oklahoma. Elle sera après moi pire qu'avec Shelli, pire qu'avec Stacy Nolan, pire qu'avec Joël Soren.

Si je reste avec Jared Kline, même si je ne sais toujours pas si c'est un mytho grave ou un mec hyper génial, je serai la reine du bahut pour le reste de ma carrière là-bas, et peut-être même au-delà.

Le hic, c'est que Jared Kline risque d'être un baratineur, comme tout le monde le dit. Un baratineur très doué et vraiment, vraiment convaincant. Et après, une fois qu'il m'aura totalement convaincue de tomber complètement, à cent pour cent amoureuse de lui et que j'aurai baisé avec lui, il me jettera comme un vieux sachet de Fritos.

Et puis il y a Logan.

Logan est un mec sincère, brillant, marginal, qui fait les trucs les plus cool, et que tout le monde déteste, mais dont je suis foncièrement amoureuse.

Mais Logan est abîmé, brisé. Et c'est pas la peine de minimiser l'affaire, ça ne va pas changer.

Même si c'est pas sa faute, même si son père merdique est à l'origine de tout ça, même si c'est pas juste… c'est le genre de truc qui laisse des traces profondes. C'est le genre de truc qui colle à la peau.

Est-ce que quelqu'un de bien ne pourrait pas rester auprès de lui ? L'aider d'une façon ou d'une autre ?

Seigneur, Vous qui êtes là-haut, dites-moi ce que je dois faire, dites-moi ce que je dois faire, dites-moi ce que je dois faire.

Oui, je suis à genoux maintenant et je prie. Ne me jugez pas et ne me traitez pas de chelou. Le fait est que j'ai besoin d'aide et j'en ai besoin vite fait, parce que je crois que je vais m'arracher les cheveux par paquets et toute la peau de mon visage.

Je suis une fille tellement merdique. Je suis une débile.

Je suis perdue.

Seigneur, Vous qui êtes là-haut, dites-moi ce que je dois faire, dites-moi ce que je dois faire.

Ma mère frappe à la porte, elle frappe, mais je ne l'entends pas. Finalement, elle passe la tête.

– Ma puce, ton ami Jared au téléphone.

Bon sang. Pas maintenant.

– Hmm… dis-lui… dis-lui que je suis morte.

– Ma puce…

– Je sais pas, maman. Dis-lui que je dors ou je sais pas quoi.

– Anika, il est 6 heures du soir.

– Maman, invente un truc. S'il te plaît ?

– OK, mais… tu veux bien me dire ce qui ne va pas ?

– Non, maman. C'est juste que… que je suis crevée ou un truc comme ça.

Elle me regarde et je sens bien qu'elle veut arranger la situation. Comme chaque fois qu'elle l'a fait depuis que je suis née. Des pleurs. Elle intervient et ça va mieux. La colique. Elle intervient et ça va mieux. Un bobo. Elle intervient et ça va mieux. Bref, il existe un million de choses que ma mère pourrait faire et a faites pour améliorer la situation.

Mais aucune d'elles ne m'atteindra au plus profond pour me transformer en quelqu'un de différent. Aucune de ces choses ne m'atteindra au plus profond pour faire de moi quelqu'un de bien.

54

Le lendemain je me réveille avec trente-neuf quatre de température, et ma mère refuse de me laisser quitter la maison. C'est pas moi qui vais la contredire. La dernière chose dont j'aie envie, c'est d'aller en cours aujourd'hui, ou demain, ou même d'y retourner un jour. Franchement, tout ce que je veux, c'est m'envoler vers les étoiles avec Logan. Mais c'est simple, je ne peux pas avoir ce que je veux. C'est tout.

Bon, ce serait pas la première fois dans l'histoire de l'humanité qu'une fille de quinze ans au milieu de nulle part n'obtient pas ce qu'elle veut. Je suis sûre qu'il existe des milliers de filles de quinze ans qui ont eu tout le contraire de ce qu'elles souhaitaient. Comme se faire lapider, par exemple. Ou être mariée de force à un homme de quatre-vingts ans en échange de quelques moutons.

Non, c'est un « problème de riche », comme dirait le vampire. La réponse, selon lui, c'est d'obtenir de bonnes notes.

D'ailleurs il doit lire dans mes pensées en ce moment, parce qu'il appelle soudain comme par miracle et demande à me parler.

– J'ai eu ta mère et elle me dit que tu es malade, c'est vrai ?

– Oui, papa. Je suis malade.

– C'est tout ?

– Ouais.

– Il y a un truc qui cloche chez toi ? Qu'est-ce qui se passe ?

– J'en sais rien, papa, il y a juste un truc qui me contrarie.

– Un garçon ?

– Plus ou moins.

– Tu es enceinte ? Tu n'as pas le droit d'être enceinte.

– Non, papa. Bon sang. Non. Je ne suis pas… pff… c'est gênant.

– OK, c'est bien. Sinon ça te gâcherait la vie, tu comprends ?

– Oui, papa.

– Est-ce que ça influe sur tes notes ? Tu ne peux pas laisser ces petits drames insignifiants t'empêcher d'avoir de bonnes notes. C'est le plus important, tu comprends ?

– Oui, je comprends.

– Tu en es sûre ?

– Oui, papa. Mes notes sont bonnes. J'aide même les autres élèves en programmation informatique.

– C'est bien. Même si je ne suis pas certain que tu veuilles devenir une geekette programmeuse.

– Mais où t'as appris ce mot, papa ?

– Oh, je t'en prie. Je ne vis pas au Moyen Âge. Contrairement à ce que tout le monde croit.

– OK, papa.

– Si je perçois le moindre signe que tu es en train de mettre ton avenir en danger dans ce coin paumé, je n'hésiterai pas à te rapatrier ici à Princeton, où je dispose de ressources illimitées pour t'éduquer dans les meilleures écoles privées que ce pays puisse offrir. En fait, l'idéal serait peut-être de…

– Papa… Mes notes n'ont pas baissé. Je te promets.

– Même avec ce professeur d'éducation physique très imbu de sa personne ? A-t-il jugé convenable de t'accorder un A ?

Ou bien a-t-il encore l'impression illusoire que sa petite vie insignifiante gagnerait en dignité s'il infligeait un B à une élève de seconde abonnée aux A, sous prétexte qu'à son goût elle ne saute pas comme il faut à la corde ?

– Non, je pense que je l'ai fait changer d'avis, papa.

– Bien. OK. Ma foi, je dois prendre un avion pour Genève. J'y donne une conférence. Je t'enverrai une carte postale.

– OK, papa.

– Souviens-toi. Je dispose ici des moyens de t'offrir une éducation de premier plan. Si jamais tu décides de quitter cet endroit horrible, je serai ravi de t'assister dans cette tâche. Sans compter que tu pourrais passer des moments privilégiés avec ton père avant de mourir. À présent, au revoir.

À ces paroles, mon père le vampire a raccroché pour s'envoler vers la Suisse. Puis Prague, peut-être Saint-Pétersbourg. On ne sait jamais où il est, jusqu'à ce qu'on reçoive une carte postale. Des flèches d'église, des tourelles, des gargouilles quelque part au cœur de l'Europe, et un message : « Anika, voici une photo de Vienne. Je dois prendre la parole à l'université. Je t'embrasse fort, *ton père.* »

Ton père, en français. Deux petits mots, les plus affectueux qu'on aura jamais.

Ma mère entre après que j'ai raccroché, histoire d'évaluer les dégâts. Elle sait maintenant qu'un seul coup de fil du vampire peut m'anéantir pendant des jours. S'il choisit d'employer ce sens de l'humour cinglant sur moi. De m'éviscérer. Ce qui fait partie de ses compétences. La seule chose à faire avec un vampire, c'est de se mettre de son côté. Mais n'essayez pas d'être trop proche. Sinon il vous mordra.

Ma mère s'assoit près de moi sur le lit.

– Tout va bien ?

– Ouais.

– Tu sais que j'ai une lettre pour toi ?

– Quoi ? Tu l'as eue quand ?

– Ce matin. Elle vient d'Oakland. Tu connais quelqu'un là-bas ?

– Non, maman. Absolument pas.

– Ma puce, y a-t-il quelque chose que tu ne me dis pas ?

– Non, maman.

– OK. Tiens, la voilà. Maintenant recouche-toi. Tu as besoin de te reposer.

Et je me retrouve avec une lettre en provenance d'Oakland. Qui peut bien vivre là-bas ? Moi, je n'ai jamais été à l'ouest du Colorado.

Je me pelotonne sous les couvertures et j'ouvre l'enveloppe. C'est une lettre de Tiffany.

Chère Anika,

Voilà, c'est fait ! Je suis à Oakland ! Chez ma grand-mère. Elle était super contente de me voir et c'est vraiment joli chez elle, avec deux étages et tout. S'il te plaît, ne dis à personne où je suis, surtout pas à ma mère, OK ? Je voulais juste t'écrire pour te dire merci. Sans toi, je ne serais jamais allée jusqu'ici. J'ai pris le train, c'était plutôt chouette. On a traversé les montagnes et c'était dingue. Tu n'as jamais vu autant de neige. Ça m'a aussi effrayée un peu. Genre si on restait coincés là et qu'on soit obligés de se manger les uns les autres. Bon, je te dis au revoir. Je voulais juste te remercier.
Ton amie,

Tiffany

P.-S. : Je te remercie beaucoup pour ce que tu as fait, mais je dois bien admettre que je ne comprends toujours pas. Pourquoi vouloir prendre quoi que ce soit quand tu as tout ce qu'il te faut là devant toi ?

P.-P.-S. : Ma grand-mère ne veut pas que je garde l'argent, elle dit que ça porte malheur, alors le voilà. J'ai arrondi, pour pas que ça se mette à tinter dans l'enveloppe.

Et là, derrière la lettre, mille deux cent trente-sept dollars tout ronds. J'hallucine !

Même Tiffany, qui a fait tout ce chemin jusqu'à Oakland, sait mieux à quoi s'en tenir que moi.

Qu'est-ce que vous en pensez ? Que je devrais garder son secret ? Sa mère doit sans doute flipper. J'ai l'impression qu'une fille a plus ou moins sa place auprès de sa mère, mais... peut-être pas auprès de celle-ci, j'imagine. En tout cas, partout ailleurs c'est toujours mieux que ce trou à rats près de l'autoroute.

Question numéro 2 : Qu'est-ce que je suis censée faire de cet argent ?

Mille deux cent trente-sept dollars.

Je pourrais le garder et l'ajouter à mon plan épargne étudiant. Est-ce que j'ai un plan épargne étudiant, d'ailleurs ?

Ma mère frappe de nouveau à la porte.

– Comment tu te sens, ma puce ?

– Maman ?

– Oui.

– Tu veux entendre un truc débile ?

– J'imagine que oui, ma puce.

– J'ai volé mille deux cent trente-six dollars et cinquante cents dans la caisse du Bunza Hut, et maintenant je ne les veux même pas.

Silence.

– Quoi ?

– Maman. Je suis une voleuse. Je suis une fille horrible et je sais que t'as fait de ton mieux, mais je suis une voleuse et j'ai piqué tout cet argent, et je piquais aussi ton Valium pour le verser en poudre dans le café de M. Baum.

– Quoi ?

– Pour qu'il ne soit pas méchant avec Shelli. Il était vraiment mauvais avec elle, tu sais.

– Ma puce, tu ne peux pas empoisonner les gens comme si de rien n'était !

– Je sais. Je sais que je suis quelqu'un de terrible et que je vais aller en prison, mais est-ce que tu peux me pardonner, s'il te plaît, parce que je l'ai fait pour la bonne cause ?

– Tu as volé pour la bonne cause ?

– Si on veut.

– Je ne suis pas certaine de te suivre, ma puce…

– Je l'ai donné à Tiffany, après qu'elle s'est fait choper. Mais elle me l'a rendu. Tu vois. Je suis nulle. Même dans la peau d'une espèce de Robin des Bois de la rédemption, j'ai échoué.

– Ma puce… Je vais fermer cette porte et on va trouver ensemble une solution, OK ?

– OK.

55

Ma mère m'a emmitouflée comme un Bibendum et on roule sur Sheridan Boulevard, en direction de la maison de M. Baum. Et par « maison », je veux dire « belle demeure ». C'est bientôt le crépuscule et le soleil brille encore à travers les arbres, avant de se coucher. J'imagine que pour ça ma mère peut me laisser sortir. Avec trente-neuf de fièvre. Alors que je vais sans doute attraper une pneumonie et mourir.

– Tu vas restée assise dans la voiture, OK ? Tu ne bouges pas.

J'acquiesce.

Ma mère s'est soudain transformée en espionne dans son propre roman d'espionnage. Elle prend un ton de conspiratrice et, oui, elle porte des lunettes noires et un trench-coat. Tout d'un coup, ça me traverse l'esprit.

Est-ce que ma mère est cinglée ?

Peut-être que pendant tout ce temps je n'étais pas le seul monstre de la famille. Peut-être que la pomme ne tombe vraiment pas loin de l'arbre. Et peut-être que cet arbre se trouve là, tout près de moi, avec des lunettes de soleil géantes et un trench-coat.

– OK… Je compte jusqu'à trois… Puis je cours jusque là-bas, je largue le paquet, et après on prend la fuite.

Le paquet.

On va « larguer le paquet ».

Ensuite, on « prend la fuite ».

Sérieux, qu'est-ce qui se passe ? Pendant ce temps, Bibendum ici présent est tellement engoncé qu'il est réduit à l'immobilité totale. Elle n'arrête pas de me dire de rester dans la voiture, sans se douter une seconde que je n'ai absolument pas d'autre choix. Si le tableau de bord prenait feu, je ne pourrais pas bouger.

– OK. T'es prête ? Un… deux… TROIS !

Elle saute de la bagnole et détale dans la neige, une silhouette en trench-coat dans un océan de blancheur. L'allée du garage mène à un chemin dallé jusqu'au perron. Un truc gigantesque avec une double porte en bois et un heurtoir en fer forgé.

Elle « largue le paquet », sans doute par la fente de la boîte aux lettres, tourne les talons, puis revient dare-dare à la voiture.

Dans la maison, un chien se met à aboyer.

– Merde ! Merde ! Merde !

Elle saute au volant, et on dégage soudain en marche arrière, alors que le perron de M. Baum s'allume, et que ma mère file à pleins gaz sur Sheridan comme si c'était Billy the Kid. Je reste emmitouflée dans ma tenue de Bibendum, incapable de remuer ou de faire une remarque, d'ailleurs. Tout ça est tellement ridicule, je veux dire… Mais sur ce coup-là, ma mère m'impressionne grave.

Et puis j'en suis arrivée à l'heureuse conclusion que c'est d'elle que je tiens ma « particularité ». L'énigme est résolue ! Malgré tout, pour ne rien vous cacher, ces mille deux cent trente-sept dollars vont me manquer.

Ma mère n'arrête pas de jeter des coups d'œil méfiants dans le rétroviseur. J'entends quasiment son cœur battre la chamade.

– OK… soupire-t-elle. Je pense qu'on les a semés.

56

Deux jours plus tard, je suis toujours au lit avec la grippe ou un rhume, ou sans doute le choléra. Je suis allongée, là maintenant. Je retire le thermomètre de sous la couverture et le tends à ma mère.

– OK. Trente-sept quatre. C'est mieux.

Elle range le thermomètre et tapote les oreillers.

– Mais tu dois toujours te reposer, OK ?

– Genre… ne pas participer à un hold-up bizarre et prendre la fuite après ?

Elle sourit et arrange les couvertures.

– Exact.

– Maman ?

– Oui, ma puce.

– Tu penses avoir un avenir dans les services secrets ?

Elle éclate de rire.

C'était le truc le plus débile du monde, mais j'ai l'impression que ça m'a retiré l'enclume qui pesait sur mes épaules depuis qu'on a quitté l'allée de M. Baum en démarrant sur les chapeaux de roue.

– Maman, je pense que tu m'as sauvé la mise. Plus ou moins.

– Comment ça, ma puce ?

– Ben, je pense que toute cette histoire me perturbait vraiment, genre elle me pourrissait la vie, quoi.

– Ah ouais ? Alors, permets-moi de te poser une question. Est-ce que les mille dollars en valaient la peine ?

– Mille deux cent trente-six et cinquante cents.

– OK, est-ce que la somme EXACTE valait la peine que tu te mettes dans cet état ?

– Maman, c'est une leçon de morale ?

– Non. Non, ça ne l'est pas. Mais je veux savoir. Est-ce que le jeu en valait la chandelle ?

Argh ! Je déteste quand quelqu'un d'autre a raison.

– Non, maman, ça valait pas le coup. C'était débile.

– OK, bien. Alors maintenant, je n'ai plus à m'en préoccuper… ?

– Non.

– Bien. Sinon tu pourrais gâcher ton avenir. Et qu'est-ce que ferait ton père, ensuite ?

– Il ira sans doute à Vienne. Oh, attends… il l'a déjà fait.

– Souviens-toi d'une chose, ne pas voler. C'est mal.

– Maman, tu veux entendre un truc nul ?

– Je t'écoute… Non, un autre hold-up, c'est au-dessus de mes forces.

– Je t'aime.

Ma mère pose ses yeux sur moi. Ils brillent un peu, ou peut-être qu'elle est juste fatiguée. Ça fait trois jours qu'elle s'occupe de moi, la malade, sans parler des quatre autres vauriens de la baraque.

– Je t'aime aussi, ma puce. Mais cesse d'empoisonner les gens.

Elle m'embrasse sur le front.

– Maintenant, tâche de dormir, mon bébé.

Elle me borde et ferme la porte.

J'ai l'impression de ne pas pouvoir redresser la tête avec tout le Tylenol et le bouillon de poule qu'elle m'a fait avaler. Elle m'a emmitouflée comme un Eskimo, m'a tartinée de Vicks VapoRub, et a posé un humidificateur près du lit. Ma mère rigole pas quand on a le rhume. Ou la grippe.

Le plafond commence à se transformer en flocons d'avoine et j'arrive même pas à garder les yeux ouverts une minute. Bizarrement, la lettre, le coup de fil, le haïku et le hold-up, ça fait trop de trucs à penser, et ma tête s'enfonce dans l'oreiller, et soudain je suis en train de contempler ce tableau blanc étincelant de Logan. Si j'ai de la chance, peut-être que je vais me réveiller à Genève, à Zermatt ou à Vienne. Peut-être que je ferai signe au vampire et qu'il me fera signe aussi, si j'obtiens toujours des A. Mais si je foire, il continuera à marcher.

57

Dans mon rêve, je suis debout dans la neige qui s'étend dans la vallée, en contrebas des montagnes suisses. Derrière moi se dresse le Matterhorn et le ciel est bleu azur, comme une boîte de chez Tiffany. C'est moi, mais d'une certaine manière c'est pas moi, là debout. Moi dans une robe blanche et tout est blanc, blanc, blanc. C'est l'endroit le plus fabuleux où je sois jamais allée, comme une forêt de cristal enchantée et, de l'autre côté, surgissant des ténèbres, Logan. Il est là, debout, et même s'il se trouve à des milliers de kilomètres, je peux le voir, pénétrer son regard.

On est attirés l'un vers l'autre, comme si la vallée enneigée était une sorte de tapis roulant. On avance ensemble et maintenant on est de plus en plus proches, tout proches. À présent, Logan se tient juste devant moi, et le ciel est d'une blancheur éclatante, alors qu'il commence à neiger, tout doucement d'abord, flocon par flocon, et on sait tous les deux que c'est l'endroit le plus enchanté au monde, ce lieu entre nous deux. Alors il se penche et je me penche, et ça commence par un baiser, un baiser chaste, qui devient de moins en moins chaste, et maintenant c'est comme si on se transformait, si on ne faisait plus qu'un, si on se fondait l'un dans l'autre, dans la lumière immaculée et les flocons de neige, et qu'on est devenus la lumière, la lumière, la lumière, et qu'on s'envole dans le ciel, au-dessus des montagnes et de la Forêt-Noire et du Matterhorn, de plus en plus haut, et qu'on survole le vaste monde.

Mais ensuite les arbres de la Forêt-Noire se couvrent d'épines, deviennent filiformes et menaçants. Ils tendent leurs branches et attrapent Logan par-derrière, le retiennent, et la vallée enneigée s'effondre sur elle-même, et soudain c'est le néant, il n'y a plus rien en dessous, et les arbres aux lames noires emportent Logan vers le bas, encore plus bas, loin, encore plus loin. Et je crie ou j'essaye de crier, mais rien ne sort de ma bouche. Et on se dévisage de chaque côté de cet abîme de glace, et on est impuissants, impuissants, et personne ne peut m'entendre, personne ne peut me voir. Alors je me mets à le chercher, je regarde partout autour de moi et à travers la glace et les branches d'arbre, et la forêt enneigée, mais il a disparu.

Je me réveille en sursaut et je suis couverte de sueur, et l'atmosphère est si paisible qu'on pourrait s'entendre respirer, et quelque chose ne va pas. Mais non, tout va bien. C'était juste un rêve. Juste un rêve que je viens de faire, mais il était si réel, il me semblait même plus réel que maintenant. Ce que je vis en ce moment, c'est réel.

La pendule clignote et indique 4 h 13.

4 h 13.

4 h 13. Silence glacial. Rien de tout ça n'était réel, c'était simplement un rêve. Ne sois pas idiote.

Mais il se passe un truc bizarre. Quelque chose me tire hors du lit et m'entraîne dans le couloir. Dans le couloir, qui me semble à présent plus long que dans mon souvenir. Et je marche. Comme si j'étais somnambule… mais non, maintenant je suis réveillée. Je suis bien réveillée. C'est ma maison. C'est mon couloir. Mon téléphone.

Je décroche le combiné.

Qu'est-ce que je fais ?

'Tain, mais qu'est-ce que je fais ?

Oh, je sais… Je vais appeler Logan. Je vais appeler Logan maintenant et lui dire que je suis amoureuse de lui.

Et je le sais maintenant.

Je le sais comme je sais que le ciel est bleu et que la Terre est ronde, et que la Lune tourne autour de la Terre, et la Terre, autour du Soleil. Et j'ai hâte de le lui dire. J'ai hâte de le lui dire et ça sera exactement comme ce baiser, comme ce baiser dans le nuage de neige, et lui et moi, on sera comme l'air et la lumière, ensemble.

Mais il est 4 h 17 du matin. On ne peut pas appeler quelqu'un à 4 h 17. On peut l'appeler à 10 heures du soir, peut-être, ou à 9 heures du matin, si c'est urgent. Mais pas à 4 h 17. Impossible. C'est juste trop bizarre. Personne ne sera debout, alors vous allez juste réveiller tout le monde. Et qu'est-ce que tu vas dire ? *Passez-moi Logan. OK, merci. Salut, Logan. J'ai fait un rêve où il y avait plein de neige et je suis amoureuse de toi.*

Non, non. Attends demain. Attends demain et dis-lui après les cours. Ou avant les cours. Ou au lycée ? Qu'est-ce que ça peut foutre, de toute manière ? Dis-lui simplement au lycée. Tu vas lui dire. Tu vas lui dire au lycée. Et ensuite vous serez ensemble, lui et toi.

58

Il y a une télé en marche quand je me réveille, ce qui est bizarre. Il n'est pas loin de 5 heures du matin, ce qui est bizarre. On n'est pas une famille qui se lève à 5 heures du mat' et certainement pas une famille qui allume la télé à cette heure-là, ma mère y veille. La télé est allumée le soir, après l'école, et encore, juste un petit peu. Une émission, voire deux. OK, l'ogre regarde la télé toute la nuit après dîner, il s'endort devant tous les soirs. Mais pas nous. La télé le matin, c'est pas nous.

Mais elle est en marche.

Et j'entends du vacarme.

Des voix, des murmures, des gens qui font « Chut ! » et encore et encore la télé.

J'entends Lizzie, puis Neener. Henry vient de dire un truc, et Robby aussi. Ma mère les fait taire. Tous sont debout à 5 heures du mat'.

– Silence maintenant. Chut… Pas de bruit. Ne la réveillez pas.

Ne réveillez pas qui ?

Ne réveillez pas qui ? Moi ? Ça doit être moi. Je suis *la seule* qui n'est pas réveillée dans la maison.

Je me tiens à la porte et j'écoute.

– Chut ! Lizzie, je ne rigole pas.

Je jette un œil et Lizzie a la main sur la bouche. Neener idem. Robby est assis et Henry est pâle comme un linceul. Henry donne l'impression qu'on l'a vidé de tout son sang pour le remplacer par de l'eau glacée.

– Faut que tu lui dises, maman.

Maintenant, j'en peux plus.

– Quoi ? Qu'elle me dise quoi ?

Je me précipite dans la pièce, vers la télé, et ils s'écartent, tous sauf ma mère, qui tente de s'interposer. Au fond, la télé braille. C'est une voix, une voix agitée. Une voix d'infos. Quelqu'un des infos.

– Écoute, ma puce, je pense qu'on devrait parler de ce…

Mais je suis passée devant elle. Je suis passée devant maman, devant Lizzie et Neener, Henry et Robby. Je suis passée devant eux et je suis face à la télé. Face à la jolie coiffure blonde, à la tête d'enterrement et aux paroles graves, agitées, qui sortent de la bouche de la présentatrice.

Et elle se tient devant quelque chose. La présentatrice. Elle est devant un truc avec des sirènes et des voitures et des lumières qui tournoient.

Elle est devant la maison de Logan.

 **59**

Je pédale vite, vite, vite, c'est maintenant. Une de ces scènes de film qu'on ne penserait jamais vivre et pourtant on la vit et c'est maintenant.

Je pédale vite, vite, vite, c'est ma seule chance d'arrêter ça. C'est le moment où on a l'impression que tout va horriblement de travers et qu'il n'y a plus d'espoir, mais comme c'est un film il y a quand même de l'espoir et une surprise qui change tout, et tout le monde pousse un soupir de soulagement et tout le monde rentre chez soi et se sent bien et s'endort même peut-être dans la voiture.

Je pédale vite, vite, vite, c'est maintenant, c'est le moment dont je vais me souvenir pour le restant de mes nuits et de mes jours, en regardant le plafond. Je gravis cette colline et je descends la suivante, traverse ces arbres et passe devant l'école.

Je pédale vite, vite, vite, c'est maintenant, et quand j'arrive là-bas on peut voir les lumières passer du bleu au rouge puis au blanc, bleu, rouge, blanc, bleu, rouge, blanc, des petits cercles dans des cubes de sirènes, et on pense qu'on peut arrêter tout ça, mais bien sûr on ne peut pas, comment on a même pu penser qu'on le pourrait un jour ?

Je pédale vite, vite, vite, c'est maintenant.

C'est maintenant et c'est trop tard.

60

Au moment où je m'arrête en dérapant sur mon vélo, toute la ville est dans la rue de Logan. Les voisins, les flics, les ambulances, partout il y a des ambulances, et partout il y a des médecins et des urgentistes et des perfusions. Il y a des corps. Il y a des corps sur les brancards.

L'un des brancards s'en va très vite, entouré d'urgentistes et de perfusions, et on aboie des ordres. Les autres brancards s'en vont dans l'autre direction, plus lentement, il n'y a rien là. Pas d'urgence. Rien.

Sur le premier brancard, grouillant d'urgentistes, il y a une petite chaussette. Une petite chaussette qui dépasse, avec R2-D2. Il y a une petite chaussette qui dépasse, et je la connais parce que c'est celle de Billy et il la portait le soir où Logan l'a mis au lit, et maintenant cette chaussette est imbibée de sang et je la vois sur le brancard. Maintenant cette chaussette est imbibée de sang, maintenant ce brancard est emporté dans cette ambulance, et je ne suis pas la seule à voir cette chaussette, et tout le monde, tout le monde a la main plaquée sur la bouche, parce que tout le monde voit cette chaussette.

Et derrière ce brancard, collés à ce brancard, il y a la mère de Logan et le petit frère de Logan, encore dans son pyjama

Spiderman. Et sa mère et son frère courent derrière ce brancard qu'on emmène aussi, assez vite, sous les lumières qui tournoient encore et encore. Il est parti, il est parti. Ça veut dire de l'espoir. Il y a de l'espoir pour ce brancard.

Et maintenant il y a un deuxième brancard. Pitié, arrêtez de sortir des brancards de cette maison, mais personne n'écoute, personne n'écoute, et voilà un autre brancard.

Celui-ci est grand. Un grand corps, un grand, grand corps et le silence autour. Et ce drap qui recouvre tout. Et ce brancard roule lentement. Mais il y en a deux, il y a deux brancards qui sortent de cette maison, et ça suffit, Seigneur, pitié, Seigneur, faites que ça s'arrête, mais ça ne s'arrête pas, ça ne s'arrête pas, et maintenant la porte d'entrée s'ouvre et il y a encore un brancard.

La porte d'entrée s'ouvre et il y en a encore un.

Et puis il y a cette main. Ces pieds. Et c'est la main qui bordait ces chaussettes R2-D2 sous ces draps Star Wars. C'est la main qui bordait ce pyjama Spiderman. C'est la main de celui qui m'a attrapée, m'a attirée vers lui et m'a fait voler sur son scooter en passant devant les arbres. C'est la main dont j'ai rêvé la nuit dernière. C'est la main de ce corps qui était censé être tout près de moi, de ce corps dont je suis tombée amoureuse, avec cette tête et ce cœur aussi. C'est cette main-là, et elle ne remue pas. Elle ne remue plus.

61

Ils essaient de m'attraper maintenant. Ma mère et ces gens-là, dont certains sont en peignoir. Ils essaient de m'attraper et de me retenir et de m'éloigner. Ils essaient de m'empêcher de franchir ce cordon de police. Ils essaient de m'arrêter. Mais ils ne peuvent pas, parce que personne ne peut m'arrêter, parce que c'est Logan. C'est Logan là-bas sur ce brancard, et ce brancard est recouvert de sang, et ce brancard s'éloigne, mais c'est pas possible, vous ne pouvez pas l'emmener, je vous en prie ne l'emmenez pas, on est censés être ensemble lui et moi. Et je suis à genoux maintenant et il y a ma mère et ces gens, qui sont ces gens ? Ils me tiennent par les épaules, mais j'ai presque rejoint Logan. J'ai presque rejoint Logan. Je peux le toucher. Je peux le toucher et le ramener à la vie. Je peux le ramener à la vie… Je peux… Laissez-moi près de lui.

Mais ils me retiennent et j'entends la voix de ma mère quelque part :

– Non, non, Anika. Non, Anika, s'il te plaît, non, ma puce, je suis là. Je suis là. Je te tiens. Je suis là.

Et le brancard s'en va, le brancard passe devant moi. Il s'en va loin, loin derrière cette portière et dans cette ambulance, et cette portière se referme, et tout est calme, tout est calme à présent, et tout se met à tournoyer et les ambulances et les lumières tournoient encore et encore au-dessus de moi, et il y a une voix et un corps qui me tient, qui m'empêche d'éclater en un milliard de morceaux et de m'écrouler par terre.

— Je suis là. Je suis là, ma puce. Ça va aller. Je te tiens.

62

C'est le rapport officiel du *Lincoln Journal Star* :
Un homme de Lincoln, désespéré par ses dettes, a tenté de tuer son
épouse et ses trois enfants. La femme et deux des plus jeunes fils
ont survécu et ont été retrouvés sur l'escalier à l'arrière de la maison,
aux alentours de 4 h 45 du matin. Le fils aîné et le père sont morts
au cours de l'altercation. La police a été appelée sur les lieux, après
que des voisins ont signalé des échanges de coups de feu. À son arri-
vée, la police a découvert les deux cadavres sur le perron. Le jeune
fils blessé par une balle perdue, alors dans un état critique, a été
emmené d'urgence à l'hôpital. Son état est désormais stabilisé. L'in-
cident s'est produit dans la banlieue sud-ouest de Lincoln, peu après
4 heures du matin. On a retrouvé une lettre d'adieu sur le plan
de travail de la cuisine. Dans cette missive, Steven McDonough,
âgé de quarante-deux ans, exprimait des remords au sujet de ses
dettes accablantes et indiquait clairement qu'il regrettait de devoir
mettre fin à l'existence de son épouse et de ses enfants, a déclaré
le chef de la police Kantor. La victime a été identifiée comme étant
Logan McDonough, quinze ans. On pense qu'il a trouvé la mort
en tentant de sauver la vie de sa mère et de ses frères cadets. Le père,
Steven McDonough, avait selon le rapport médico-légal un taux
d'alcoolémie de 0,25 % lorsqu'on l'a retrouvé. La mère et les deux

fils survivants sont à présent en convalescence et reçoivent des soins à la fois médicaux et psychiatriques, à la suite du drame. Les condoléances, dons et cartes de visite peuvent être envoyés au St Mary's Community Hospital où un fonds de soutien pour la famille est actuellement mis en place.

L'article ne dit pas : « Ouais, ça expliquerait pourquoi le père de Logan dépensait des tonnes de fric et avait un comportement vraiment bizarre. »

L'article ne dit pas : « Ouais, vous savez, le père de Logan était en fait un dingue des armes à feu et avait un putain d'arsenal, avec flingues et munitions, dans son sous-sol. De quoi repousser une armée de zombies pendant deux semaines d'affilée, et peut-être que c'est pas une si bonne idée quand le mec a une case en moins. »

L'article ne dit pas : « Ouais, on comprend mieux pourquoi la mère de Logan était une alcoolique invétérée, parce qu'on se dit forcément que ce mec n'était pas le compagnon de vie idéal. »

L'article ne dit pas : « Heureusement, il y avait deux escaliers dans cette maison, si bien que cette mère et ces deux petits garçons pouvaient se cacher, pendant que Logan repoussait son cinglé de père, et qu'il les protégeait au péril de sa vie, comme il a dû sans doute le faire un million de fois auparavant. »

L'article ne dit pas : « Oh, à propos, j'étais amoureuse de Logan, et maintenant je ne pourrai plus jamais le lui dire, et il est mort sans même le savoir, et pourquoi il a fallu qu'il meure, bordel ? Juste parce que son père était un dingue de flingues totalement parano ? »

Mais je sais pourquoi il est mort… Il est mort pour sauver sa mère et ses petits frères, et c'est pas juste non plus.

L'article ne dit pas : « Les frères de Logan ressemblaient à des petits anges dans leurs pyjamas Spiderman, et cette pourriture d'enculé a essayé de les abattre avec un flingue, alors à quoi sert Dieu ou tout ce qu'il y a dans l'univers, après un truc pareil ? »

L'article ne dit pas : « Dites donc, Dieu, Vous étiez où cette nuit, bordel ? »

63

J'imagine que ma famille s'inquiète vraiment pour moi,
parce que mes frangines campent même dans ma chambre,
ce qui est chelou, vu à quel point elles me détestent. Elles
sont toutes les deux allongées là, sur leurs fauteuils poires,
dans un coin de ma chambre, pendant que je dors, fixe le
plafond et ne parle à personne.

Même si elles se battent avec moi, me crachent dessus et
m'embêtent chaque fois qu'elles en ont l'occasion, c'est un
peu comme si là elles savaient que c'est le genre de truc qui
pourrait me faire péter un câble et perdre complètement la
boule une bonne fois pour toutes, et qu'on m'emmènerait
dans un petit fourgon blanc avec des mecs en vestes blanches,
parce qu'on savait tous que ça allait arriver, de toute manière.

M. Baum appelle du Bunza Hut et ma mère dit que je ne
peux pas y aller. Elle lui demande de ne pas m'inscrire au
tableau de service pendant un petit moment, ce qui est sa
façon de lui annoncer que je démissionne. Elle ne m'a jamais
rien demandé à ce sujet ; elle le sait, c'est tout. Et elle a raison.

C'est clair que le Bunza Hut et moi, on s'est séparés.

Lizzie est assise là, en train de lire ce bouquin sur ce mec,
Darcy, dont tout le monde pense que c'est un con, mais qui

se révèle en fait hyper génial. Neener se vernit les ongles. Robby est à son entraînement de foot, comme d'hab. C'est réglé comme une horloge. Mais il est venu hier soir et m'a donné sa coupe porte-bonheur. C'est pas rien, croyez-moi. D'habitude ce truc trône dans une vitrine fermée à clé. De temps à autre, Henry passe la tête par la porte. Il ne dit rien en général, regarde juste mes frangines, hoche la tête, puis s'en va. Sauf ce matin, il avait vraiment un truc à dire, du Henry tout craché.

– On raconte qu'ils vont toucher l'assurance-vie. Parce que c'était pas un suicide.

Lizzie et Neener le regardent, intriguées.

– Maintenant, ils sont riches.

On accueille la nouvelle en silence.

Si elle le pouvait, ma mère dormirait dans mon lit, tout près de moi. Mais elle voit que mes sœurs manifestent un vif intérêt pour mon bien-être, alors elle laisse faire ce petit miracle.

Jared appelle deux ou trois fois, mais Lizzie lui raccroche au nez.

Neener n'arrête pas de m'apporter des magazines débiles pour me changer les idées, ce qui est sympa.

J'aurais jamais cru que mes sœurs seraient aussi protectrices avec moi. Lizzie ne m'a pas craché dessus une seule fois.

L'ogre a essayé de venir jeter un œil, mais mes sœurs ont fait diversion.

Elles ne veulent rien savoir. Après l'avoir vu pendant des années rester en admiration devant Robby, construire des maquettes d'avion avec Henry, sourire à Neener, tolérer Lizzie, mais se retourner et chaque fois, chaque fois, grogner, râler ou contredire tout ce que je disais, n'importe quoi, même le ciel est bleu ou la terre est ronde… eh ben, mes sœurs ne lui passent plus rien.

L'ogre reste bloqué à mi-chemin dans le couloir.

Faut rendre justice à Lizzie. L'intimidation, c'est son fort.

Et Neener me fait juste un signe de tête.

– T'inquiète, frangine. On gère.

Et puis il y a le lycée. Demain, c'est le premier jour où j'y retourne et tout le monde parle de l'hommage qui sera rendu au gymnase. Je vois déjà le tableau. Becky habite en face de chez Logan. Elle va transformer ça en *L'Heure du drame*, avec Becky dans le rôle principal. À présent, son éloge funèbre doit être rédigé et elle va pleurer en parlant de son meilleur ami Logan, en disant à quel point elle est anéantie, qu'elle ne peut plus continuer à vivre sans lui.

Je parie qu'elle a déjà écrit une saison entière de sa série larmoyante.

64

J'ignore pourquoi, mais l'ogre me conduit au lycée aujourd'hui. Ça ne me réjouit pas. Il ne dit rien pendant tout le trajet en voiture, et moi non plus. Je ne vais pas parler s'il ne parle pas. Pas question.

On s'arrête le long du trottoir et je m'apprête à descendre d'un bond, histoire de mettre un terme à ce trajet pénible, mais il m'arrête.

Argh !

– Anika. Je veux juste te dire quelque chose.

– Hmm… OK…

– Je sais que tu ne m'aimes pas. Et je sais que tu penses que je ne t'aime pas.

– En fait, je sais que tu ne m'aimes pas, alors…

– Peut-être que c'est juste que je ne sais pas quoi te dire !

Bizarre. C'est tombé comme un cheveu sur la soupe.

– Je suis un homme d'âge mûr qui travaille toute la journée pour que cinq adolescents aient toujours de quoi manger.

– OK.

– Et je ne sais peut-être pas faire de belles phrases comme ton père, mais je suis là. Et je fais le job. Et j'aime ta mère. Et je vous aime, les gosses. Et ouais, ça veut dire toi aussi.

– Hmm…

– Et je suis vraiment désolé de ce qui est arrivé à ton copain.

C'est sans doute parce que je suis fatiguée mais, pour une raison débile, je suis un peu émue par ce petit-speech-au-bord-du-trottoir. Je ne sais même pas par où commencer, en fait.

– Et je vais tâcher de trouver un truc à te dire, mais sincèrement, j'ai pas grand-chose en commun avec une gamine de quinze ans. Tu vois ?

– Ben, peut-être que tu pourrais commencer par dire « Bonjour » ou un truc comme ça.

Il hoche la tête.

– Ta mère et vous, les gosses, je vous aime beaucoup. Vous représentez tout ce que j'ai.

J'imagine que peut-être ce massacre familial l'a touché, parce que je pourrais jurer qu'il a la gorge serrée. Juste là, dans la voiture.

– OK. Hmm… On est d'accord, j'imagine.

Il lève la tête, maintenant. C'est timide, mais il y a un petit sourire.

Et à ces mots, je tourne les talons pour entrer au lycée. C'est sûr que je m'attendais pas à ça, ce matin. C'est le dernier truc que j'aurais pu sentir arriver. Vous savez ce que je pensais, en fait ? Que ma mère lui avait parlé de l'argent et qu'il allait me priver de sorties jusqu'à la fac.

65

Tout le monde au gymnase est habillé en noir ou porte un brassard noir, et il y a une photo géante de Logan au fond, entourée de lys. Un grand mur est dédié à sa mémoire et les gens ont déposé des bougies, des fleurs, et écrit toutes sortes de conneries du genre « Parti trop tôt », « Que Dieu soit avec toi », et « Tu nous manques ». C'est sûr que ça fait beaucoup de mots gentils pour quelqu'un qui, il y a deux jours à peine, était considéré comme un paria.

Mais tout le monde veut sa part.

Ils veulent une part de la tragédie. Ils en veulent un morceau. Ils veulent en quelque sorte se sentir utiles en étant plus proches du drame. Ils étaient le partenaire de chimie de Logan, ils étaient dans le groupe d'étude de Logan, ils étaient l'ami de Logan.

À présent l'une des profs est sur l'estrade, une femme toute mince en jupe de laine noire, sur le point de présenter une « intervenante particulière »… Si cette « intervenante particulière » veut bien se donner la peine d'approcher.

Et cette « intervenante particulière », c'est Becky.

Bien sûr.

Parce que Becky vivait juste en face de chez Logan.

Shelli et moi nous asseyons au premier rang, tandis que Becky s'avance vers le podium. Toute vêtue de noire, c'est l'image même du deuil adolescent. Robe Gucci. Sortie tout droit du pressing. Elle se tamponne les yeux. Elle regarde le public. Se tamponne encore les yeux.

Quel cinoche !

Elle pousse un long soupir, puis commence…

– Logan McDonough était mon voisin. Mon camarade de classe. Mon ami. Peu de gens connaissaient le lien solide qui nous unissait, car c'était quelque chose de précieux. Plus précieux que des rumeurs de couloir. C'était si exceptionnel ; lui-même était si exceptionnel. Rares sont ceux qui ont eu la possibilité, comme moi, de connaître Logan en profondeur, ses pensées lumineuses, sa manière si originale, éblouissante de voir le monde. Et à présent…

Silence.

Des larmes.

– Et à présent ce cœur ne bat plus. Emporté avant son heure.

Encore des larmes.

Assez de larmes pour remplir une piscine. Assez de larmes pour que la prof propose de venir à sa rescousse. Mais non ! Becky lève la main. Becky est forte. Becky peut y arriver. Becky est invincible.

– Mais en vérité, l'enthousiasme de Logan va se perpétuer. Son enthousiasme brillera… à jamais. Logan, tu es éternel désormais… Je t'aime, Logan. Nous t'aimons tous. Tu nous manqueras à tous.

Toute la salle est en larmes.

Tout le monde boit du petit lait. À croire que tout le bahut est atteint d'amnésie.

La prof se relève. Elle va présenter la prochaine « intervenante exceptionnelle » et cette « intervenante exceptionnelle », c'est moi.

Il y a un silence, quelques personnes toussent et se trémoussent un peu sur leur siège, tandis que j'atteins l'estrade. Oui, je porte du noir aussi. Mais je donne plutôt l'impression de sortir du séchoir.

Debout sur le podium, je regarde mes camarades. Il doit y avoir environ trois cents personnes. Tout le lycée est là. Tout ce que Pound High School peut offrir. Même les hard-rockeurs, quelque part dans le fond des gradins. J'ai tout un discours écrit sur Logan. Sur qui il était vraiment, son intelligence, le fait que personne ne le remplacera jamais, et pourquoi c'était un héros du quotidien. Tout le monde me regarde et la prof hoche la tête d'un air affirmatif. Elle essaye de me dire que je peux le faire. Je peux le faire. Et de me dépêcher de me lancer.

Silence.

Et maintenant je contemple les trois cents visages.

— Hmm... Donc, voilà... J'étais amoureuse de Logan McDonough. C'était mon petit ami.

Bruissement dans l'auditoire, quelques regards échangés.

— Il a déclenché deux fausses alarmes incendie et laissé un tableau pour moi au beau milieu de mon cours d'arts plastiques.

Au fond, je vous jure que j'entends un hard-rockeur s'exclamer : « Je le savais ! »

— Lors de la deuxième alerte, il a rempli la salle de papillons. Je croise le regard de M. Toxico, le prof d'arts plastiques, et il hoche la tête et je sais que ça ne pose pas de problème. Il connaît la vérité, je connais la vérité, et il s'en moque. Il a même l'air un peu ému.

— Logan était un marginal, un mec bizarre, un peu comme s'il était fait en kryptonite. Aucun d'entre nous ne voulait le toucher. Mais il a écrit le haïku le plus cool du monde. C'est la dernière chose qu'il m'ait offerte.

Tout le monde se penche en avant, y compris Becky et Shelli, et même les footeux. Je sors le bout de papier et j'essaye de ne pas trembler, mais je sais ce qui est écrit.

– *Sans cesse… Si fragile et si forte… Tu m'inscris dans le ciel.*

Silence dans l'auditorium.

– C'était comme un secret. En fait, j'ai gardé ça secret. Parce que je m'inquiétais, je m'inquiétais plus de ce que tout le monde pensait que de ce que je pensais, moi. Ou de ce que pensait mon cœur. Et ça fait de moi une imbécile.

Maintenant, je baisse mon regard sur Becky qui me dévisage, comme si elle était la star de la série sentimentale qu'elle a inventée dans sa tête. Une série où on est juste des figurants inutiles. En fait, le fait que je lui vole la vedette a l'air de l'agacer. Je pourrais chialer ma race là maintenant, mais un autre truc a pris le dessus, le besoin urgent de frapper fort. Le ras-le-bol d'être trop gentille.

Je fixe Becky un long moment.

– Mais comme je suis sincère désormais, autant vous dire que Logan McDonough pensait que Becky Vilhauer était une conne. Et je pense la même chose.

Le choc.

L'effroi.

Des chrétiens épousent des Romains.

Les Montaigu roulent des pelles aux Capulet, leurs ennemis jurés.

– Logan aurait rigolé à s'en décrocher la mâchoire en entendant le petit discours débile de Becky, qui est le plus gros ramassis de conneries que j'aie jamais entendu.

La prof me regarde d'un air de dire qu'il est temps de lâcher le micro, mais ça ne risque pas d'arriver.

– Becky inventait des trucs. Comme quand Stacy Nolan était soi-disant enceinte. Ça venait de Becky. Elle a simplement

278

tout inventé. Pour rigoler. Pour son propre amusement personnel. Juste pour se marrer !

Je repère Stacy dans le public, qui devient toute rouge, et tout le monde s'agite et se tourne sur son siège, et ne sait pas trop quoi faire parce que le Père Noël, le lapin de Pâques et Jésus-Christ pourraient aussi bien surgir derrière moi.

– Elle a torturé ce pauvre Joël Soren en permanence. Tout ça parce qu'un jour il a refusé de lui donner un bout de chewing-gum. Du chewing-gum ! Et maintenant, il se fait tabasser tous les jours. Tout ça à cause d'un malheureux morceau d'Hubba Bubba.

Je croise le regard de Jared au fond de la salle. Il me fait un signe de tête et un demi-sourire. Qu'est-ce qu'il fabrique là ?

– Oh… et puis n'oublions pas qu'elle a essayé de baiser le frère aîné de son petit copain. Oui, Brad. Becky s'est jetée dans les bras de ton frère Jared, à ta fête d'anniversaire. Comment je le sais ? parce que j'étais censée monter la garde pour le « petit toutou ». C'est comme ça qu'elle t'appelait.

Si seulement vous pouviez voir les yeux de Shelli !

Et Becky… Becky est à deux doigts de foncer comme une furie sur l'estrade.

– Enfin, puisqu'on parle de Jared Kline… Oui, j'ai largué Logan pour Jared Kline parce que… bon… pour tout un tas de raisons, mais l'une d'entre elles, c'est parce que Logan n'était pas *cool*. Parce que je me *souciais* du fait que tout le monde trouvait Logan chelou. C'est un truc avec lequel je vais devoir vivre jusqu'à la fin de mes jours, et oui, ça craint à mort, et je ferais n'importe quoi, n'importe quoi en mon pouvoir pour le ramener parmi nous. Mais pour être bien claire, juste pour bien mettre tout ça à plat… sachez que *Becky m'a prévenue que si je ne larguais pas ce « raté », en parlant de Logan, j'étais morte*. Alors… alors tu parles d'une « relation privilégiée » entre Becky et Logan ! Elle est bidon, et Logan était beaucoup trop bien pour elle et, en toute franchise, beaucoup trop bien pour moi ou n'importe qui parmi nous. Becky me regarde comme si ma gorge était déjà tranchée.

– Mais c'est là tout le problème. Pourquoi est-ce qu'on se comporte tous comme des débiles et qu'on attache de l'importance à ce que cette abrutie de Becky ou Untel et Untel peuvent dire de ceci ou de cela ? Rien de tout ça n'est important. Pas vrai ? Je veux dire, est-ce que c'est franchement important, putain ? Genre, quand vous aurez quatre-vingts ans et que vous serez sur votre lit de mort, vous pensez vraiment que ça va vous faire du bien de savoir que vous avez ricané au bon moment à l'époque ? Sur un truc, une fringue ou une personne qui, d'après Becky Vilhauer, n'était pas cool ? Et si vous étiez comme Logan ? Et si tout disparaissait, comme ça, en une nuit, sans prévenir ? Vous pensez vraiment que ces conneries auraient de l'importance ? Franchement ? Je veux dire, c'est quoi notre problème, à la fin ?

Tout à coup, je me rends compte que je pourrais aussi bien parler à un bloc de béton.

– Merci à vous et bonne nuit !

Silence.

Un ange passe.

Je contemple cet océan de visages absents et réalise que c'est fini pour moi. C'est fini, et basta. Je vais devoir aller vivre avec le vampire, fréquenter une école privée et repartir dans l'Est, en définitive.

Sauf que…

Au fond de la salle, je l'entends. Un applaudissement. Un petit claquement de mains. Et c'est Jared Kline. Puis Brad se lève. Il applaudit. Puis quelqu'un d'autre aussi. Stacy Nolan se lève. Elle applaudit. Puis quelqu'un d'autre aussi. Puis Chip

Rider. Puis quelqu'un d'autre. Puis Jenny Schnittgrund. Puis Joël Soren. Charlie Russell. Ensuite, les hard-rockeurs du fond s'y mettent. Et soudain, les applaudissements explosent dans tout l'auditorium et…

Becky regarde Shelli, qui ne s'est pas levée. Assise à côté de Becky, Shelli fait penser à un sachet de petits pois congelés. Elle me regarde. Elle regarde Becky. Elle regarde la salle entière, remplie de footeux, d'intellos, de hard-rockeurs et de pom-pom girls, puis revient vers moi. Becky se cramponne à elle, à son bras, comme si c'était le dernier transat à bord du *Titanic*.

Alors Shelli se lève.

Shelli se lève et se met à applaudir.

Et Becky se liquéfie sur place. Elle se met à fondre, comme la Méchante Sorcière de l'Ouest, dans *Le Magicien d'Oz*, et elle prend la tangente et s'éclipse de l'auditorium par une porte dérobée, comme un fantôme surpris par la lumière du jour, et tout ça incite les gens à applaudir encore plus fort. Et pour une fois dans son existence, Pound High est libéré du règne de Becky la Terrible, et soudain on est tous ensemble, émancipés, libres.

Quant à moi, je vais franchir la grande porte à présent, je vais marcher en plein milieu, la tête haute, et je n'ai pas à m'écarter ou à sauter du haut d'un pont ou je sais pas quoi. Je fends cette foule, passe juste devant Jared Kline, qui fait ce qu'il y a de mieux à faire, parce que j'imagine que Jared Kline fait toujours ce qu'il y a de mieux, c'est-à-dire… qu'il sourit et me salue en levant sa casquette de camionneur, comme si je venais de donner le plus grand spectacle du monde.

Et je sais à cet instant précis que ça ne tient qu'à moi, que ça n'a toujours tenu qu'à moi, et qui sait peut-être qu'un jour…

Mais pas maintenant, parce que là, maintenant, j'ai franchi la porte et je suis dehors, sur cette pelouse qui s'étend devant moi comme un tapis volant.

En traversant cette pelouse, j'entends tout le monde derrière moi, puis ça diminue peu à peu, c'est de plus en plus lointain, et je fais une promesse, les yeux tournés vers le ciel, vers Logan et au-delà.

Je n'oublierai pas. Je ne t'oublierai pas. Je ne les laisserai pas t'oublier. Je ne sais pas comment, je ne sais même pas quand ou comment ça pourra être possible… mais un jour, je raconterai ton histoire à tout le monde, je parlerai de toi et moi, et de ce qui s'est passé et, d'une manière ou d'une autre, je parlerai au monde entier de toi et du plus fabuleux haïku du monde qui ait jamais été écrit, et je me ferai pardonner, d'une manière ou d'une autre, je me ferai pardonner, je te le promets. Et je pense à eux aussi, les chaussettes R2-D2 et le pyjama Spiderman, je revois Logan expliquer à Billy que son ankylosaure devait rester au pied du lit pour le protéger. Et j'ai envie de prendre Logan dans mes bras pour ce qu'il a fait. J'ai envie de remonter le temps et de le serrer fort, pour ne plus jamais le lâcher. Mais ce serait comme voler la lumière du coucher de soleil et l'implorer de ne pas quitter le crépuscule.

Et si je pouvais, je revivrais chaque seconde de chaque instant, encore et encore, si je détenais le secret.

Vous n'avez qu'une seule chance.

Vous ne pouvez vivre ça qu'une seule fois, et vous ne savez même pas quand tout ça cessera d'avancer et de tournoyer, encore et encore, pour s'interrompre d'un seul coup, et puis plus rien. C'est dingue, non ? Tout ce temps que j'ai passé à peser le pour et le contre, à m'inquiéter de ci ou de ça, à revivre ceci et à imaginer cela, à craindre ce que pensait

Untel et à me soucier d'Untel, mais sans jamais vivre là, *maintenant*, le moment présent. Sans même jamais admettre que ce moment puisse exister, et j'en prends soudain conscience comme si une décharge électrique me foudroyait en pleine poitrine.

Le moment présent.

C'est tout ce qu'on possède.

Avant de s'inscrire à jamais dans le ciel.

Composition : *Compo Méca Publishing*
64990 Mouguerre

MARQUIS

Québec, Canada

Imprimé au Canada
Dépôt légal : mai 2015

ISBN : 978-2-7499-2601-8
LAF 2038